MALABARES
en tacón aguja

Barrón, Josefina
    Malabares en tacón aguja : (cómo ser una feliz mujer con
ellos, sin ellos, a pesar de ellos) / Josefina Barrón. -- Bogotá :
Grupo Editorial Norma, 2011.
    224 p. ; 21 cm. -- (Autoayuda)
    1. Psicología de la mujer 2. Mujeres solteras - Aspectos
Psicológicos 3. Soledad - Aspectos psicológicos 4. Mujeres
divorciadas - Aspectos Psicológicos I. Tít. II. Serie.
155.6423 cd 21 ed.
A1300458
    CEP-Banco de la República-Biblioteca Luis Ángel Arango

Título: *Malabares en tacón aguja*

Impreso por Nomos Impresores
Diseño de cubierta: Christian Ayuni
Diagramación y armada: Christian Ayuni
Edición: Fiorella Bravo
Fotografía: Revista Caras - Televisa

ISBN: 978-958-45-3575-7

Josefina Barrón

MALABARES
en tacón aguja

Cómo ser una mujer feliz
(con ellos, sin ellos, a pesar de ellos)

GRUPO
EDITORIAL
norma

www.librerianorma.com

Bogotá Barcelona Buenos Aires Caracas
Guatemala Lima México Panamá Quito San José
San Juan San Salvador Santiago de Chile

Las chicas buenas van al cielo.
Las malas van a todas partes.

Mae West

Yo amo a los hombres no porque son hombres,
sino porque no son mujeres.

Reina Cristina de Suecia

Contenido

Mujeres jugando con pelotas 15

Perdiendo la cara 17

Cuarenta no son treinta y nueve 19

NI TAN ARPÍAS NI TAN ZORRAS
(NI TAN PERRAS) 25

    La heroína: una de esas terribles drogas. 30

    Diosas y pepas 37

    Verborragia menstrual 40

    Cuenta hasta diez 44

    Ellos tienen el control (remoto). 47

    Otros males que aquejan a la mujer de hoy 51

Mujer que no jode es hombre 56

La insatisfacción femenina 60

La vida es una góndola 63

La belleza, un arma química 70

Botox, ojox, potox 75

ELLOS, LOS ADORADOS TORMENTOS 79

El eterno proveedor 81

Aprendiendo a la vez que amando 86

El hombre es agua, la mujer tierra 91

El hombre ideal no existe.
        Los hombres sí que existen 96

¿Los hombres son llevados por el mal? 114

Dime que no 119

Sí. No. Ni. So. 125

DIÁLOGOS ENTRE EL ESTRÓGENO
Y LA TESTOSTERONA .129

¿A cazar mamuts? 131

Hormonómetro 135

Del amor al odio en nueve llamadas 138

Qué ve el hombre, qué ve la mujer 140

Teléfono malogrado 142

Piqueítos 144

Te entrego mi vida
(te entrego mis huevos) 147

¿Esperando sentada? Invítalo a salir 153

Cosas que no debes hacer
cuando recién te emparejas 156

Qué quieres que haga, ¡¿qué?! 165

La primera es la pagana 170

Cómo romper con quién rompió contigo 174

Cortar de raíz 180

Mi príncipe verde 184

La soledad sabe a whopper 189

Rapunzel y una torre llamada soledad 194

El nuevo *look* de Rapunzel 196

Mujeres con las cuentas claras 199

Mea culpa 206

Agarrando calle 209

Mil y un razones para ser mujer 212

Un último beso (de moza) 215

Anexo.
La Oveja Rosa y El Dueño de Nada . . 217

Parche

Se carece de oídos para escuchar aquello
a lo cual no se tiene acceso desde la vivencia.
Friedrich Nietzsche

No soy antropóloga, no soy socióloga ni psicóloga. Menos aún feminista. De vez en cuando se me da por ser lo contrario; debe ser la nostalgia de un tiempo que no he vivido. Estas no son verdades ni patrañas. Son solo aproximaciones tímidas a un misterio que nadie ha podido desentrañar: esto de ser mujer.

Mujeres jugando con pelotas

Ay, los malabares. Las pelotas. Las mujeres. Ellos. El equilibrio. El tropiezo. La locura. Los benditos tacón aguja. Otra vez el tropiezo. El atrevimiento. Los huevos. Ellas y sus huevos, ellos y sus huevos, ellas y los huevos de ellos, ellos y cojones, los ovarios, las neuronas y las prótesis, todo en el aire, todo en las manos, de mano en mano, atravesando fuegos, entre cuchillos que se lanzan, que parecen volar, que caen en picada como pájaros en bandadas, que atraviesan el aire, el corazón, el cuerpo. El juego de figuras continúa, pues el tiempo nunca se detiene. Y la velocidad de un malabar es proporcional a las ganas que tenemos de hacerlo.

Hacemos malabares, movimientos audaces, practicamos, dominamos, perdemos el hilo, se nos rompe uno que otro, nos detenemos, lamentamos la pérdida, nos empoderamos y nos empelotamos. El circo continúa.

¿Será solo un mito que las mujeres somos manipuladoras por naturaleza? Lo que sí sabemos es que somos malabaristas por excelencia. Que hemos usado esa destreza a lo largo de nuestra convulsa historia. Al comienzo, cuando el fuego y la piedra lo eran todo, para garantizarnos la sobrevivencia en ese, el mundo de los hombres. Hoy simplemente para conseguir lo que deseamos (y merecemos): el mundo. Hoy podemos ser hembras alfa, mafaldas, juanas de arco, cenicientas y rubicundas paris hiltons con faldas, quizás solo chihuahas, si es que perras, o como Liz Taylor; tremendas gatas y, por qué negarlo, zorras metidas en pieles de ovejas. Hoy nos sentimos empoderadas: nuestra belleza es arma letal; nuestra capacidad expresiva, estrategia pura. Nuestras lágrimas, el desarme nuclear. Nuestro desbalance hormonal, un gran argumento legal. Nuestra multiorgasmia, la libertad. Nuestra audacia, un triunfo electoral. Pero ellos siempre están para hacernos la vida a cuadritos, para llevarnos al cielo, al altar, al supermercado o a la tumba. Con ellos somos infelices. Sin ellos lo somos más. Por eso, a hacer malabares, que para eso servimos, desde que somos.

Practiquemos. Rompamos. Hagamos.
Juguemos. Vivamos.

Perdiendo la cara

Últimamente, cuando me levanto en las mañanas y me miro al espejo, siento como si me hubieran dado un golpe bajo: el tiempo está empezando a pasar... y a pesar. La gravedad está imponiendo su tirana ley sobre mis párpados; el pellejo de mi ojo izquierdo se ha caído. Mierda, ¿dónde está mi ojo? ¿Por qué huye de mí mi cara? Quiero la cara de hace dos años. O la cara de las ocho de la noche. Es más: quisiera despertar todos los días a las ocho de la noche. Pero el espejo me está devolviendo a estas horas de la mañana lo que me devolverá a toda hora del día, de aquí a pocos años. Son tres los tristes tigres los que se juntan para atacar: el paso de los años (ese monstruo al que llamamos edad), la condición femenina (flor que por ser flor deja de serlo para ser recuerdo de flor), y ese albur al que alegremente llamamos *la vida*. No en vano escribió Sócrates sobre la hermosura: "esta es una tiranía de corta duración".

Pero no solo la piel se nos entristece. Todo en nosotras tiene una pátina, un hálito que se adivina rancio. El corazón, sus llagas; el útero, más de un arrebato, una pataleta, algún legrado, un aborto, un hijo, una T de cobre, quizás un quiste o dos. La reserva ovárica disminuye, igual que el apetito de hombre, hasta que pasamos a ser aquello que suena a insulto: menopáusicas. Los ojos envejecen con nosotras; ya no ven como antes; sin embargo, miran mejor (si hemos aprendido a mirar). Ya se asoman las estrías, ya nos abruman algunos recuerdos, ya alguna amiga es enemiga, ya se nos murió alguien, ya hemos sufrido un desamor (o varios). Ya guardamos uno de esos secretos que nos convierten en un campo minado. Ya sabemos ganarnos la vida o al menos el pan de cada día.

Toma tiempo conocer a quien está más cerca de una: una misma. En la medida que cada mujer se conozca, conocerá de su contradictorio género, pues, aunque todas podamos ser distintas, somos iguales: diosas hasta cuando retenemos agua; hadas, aunque perdamos los papeles, y brujas porque perdemos demasiado a menudo los papeles. Eso sí: toma todo el tiempo del mundo comprenderlos a ellos, los hombres. Por algo nos pasamos la vida preguntándonos, con el ceño fruncido y entre dientes, a veces a voz en cuello: "¿Qué diablos les pasa a los hombres?" (incluso existen libros que llevan por título esa femenina pregunta). No les pasa nada. Son ellos. Son así. Hombres. Distintos de nosotras, aunque en los sesenta se nos haya dado por igualarnos. Hemos logrado dirigir corporaciones, ganar elecciones, incluso ser valientes mineras, pilotos de prueba, astronautas, futbolistas y, lo que es mejor, árbitras de fútbol. Pero seguimos queriendo usar rojo en las uñas, en los labios, en los encajes que cubren y descubren nuestros más íntimos secretos.

Cuida tu cara. Retenla todo lo que puedas.
Igual se irá de tu lado,
pero al menos le habrás sacado provecho.

Cuarenta no son treinta y nueve

Desde que tengo uso de razón he vivido entre dos polos. Mi propio mundo, uno que es caleidoscopio, alucinada dimensión del sueño, morada de la musaraña. El otro mundo (el dominio de la realidad), llegó a mí a través de los hombres. Ellos fueron mis portavoces, mis guías y a la vez mis obstáculos, mis tormentos y matarratos. Perdí, en ese vaivén de mundo a mundo, mucho tiempo, mucha energía, mucho aire. Y mucha lágrima. Me estrellé duro contra el desamor, y la musaraña empezó a toser: estaba enferma. Tuve que abandonar ambos mundos, pues ambos mundos me habían abandonado. Tuve que irme a vivir a los medios, al mediterráneo, lugar que ahora conquisto.

Aquí estoy, escribiendo lo que pasó, con una sonrisa en los labios, pues logro armonizar mi todo y convivir con la nada, conversar con el silencio, enredarme yo sola sin enredar a nadie (solo a ti, mi negro). Es aquí donde quiero estar, donde yo elijo y no me eligen. Donde yo sueño. Sueño bien despierta.

Aquí he dejado de esperar al hombre de mi vida
para dar lugar a la mujer de mi vida:
yo.

Vaya que he tenido que hacer malabares. Siempre sobre un par de tacón aguja, rascacielos desde los cuales he caído en picada, propulsores que han acelerado mi ya inquieto paso. Ahora me detengo a escribir; escribir para mirar, escribir para saber, escribir para entender. Escribir para hacer catarsis, escribir para procurar la autoayuda (y celebrar la autojoda), escribir para reír, escribir para crecer. Créanme que la primera y más entusiasta lectora seré yo. Puede ser que, al dejar salir y confrontarme en blanco y negro, logre por fin terminar de aceptar que no soy un caso clínico, que no soy la única mujer que ama demasiado y sufre demasiado, que se siente gorda si sube un kilo, que se pone nostálgica si una paloma se estampa contra la ventana, que mata por un trocito de chocolate cada veintiocho días, que se toma a los hombres muy a pecho, que no sabe si casarse o irse al teatro, que susurra y gruñe al unísono. Me daré con que soy simplemente una mujer, una de carne y hueso. Que soy, como (casi) todas las de mi género, una diosa metida en el cuerpo de un mamífero hembra. Hembra, hembrón, embrague, acelerador, freno. Animal, estrella fugaz, ama de casa profesional, *geisha* matriarca, lideresa de comedor popular, activista, consumista voraz. Una bestia de la profesión. Toda una (neo)(anti)(post)feminista. Un solo de contradicciones.

Ni tan arpías ni tan zorras
(Ni tan perras)

Hace poco reflexionaba sobre los patéticos personajes en que nos convierten los guionistas de las novelas que pasan por la televisión. La oposición entre mala y buena, manipuladora e inocente, virgen y puta, es peligrosamente transmitida en casi todos esos culebrones que estupidizan el imaginario femenino de millones de hogares latinoamericanos. Entre escenografías de sillones Luis XVI y columnas dóricas, la mujer puede ser tan, pero tan maldita que ríe cuando elabora su plan macabro: vaciarle los frenos del Rolls Royce al magnate que tiene por marido y que acaba de dejarla por la incauta empleada doméstica, quien siempre es virgen (como si serlo aún fuera una virtud) y nunca fuma, como sí la mala, que además amanece maquillada (corrijo: empastelada) y coronada con un moño inspirado en la torta de bodas de Liz Taylor (en alguna de sus quinientas bodas). La empleada doméstica es bella y siempre termina siendo la hija bastarda de otro magnate. Entonces, pasa a ser dama y madre, conoce de Shakespeare y se viste de Carolina Hererra, pero sigue siendo virgen, la virgen esa que nos ha tocado a nosotras, las mortales, dejar de serlo muy pronto y sin mayores remordimientos. Así nos vemos en la televisión, mientras preparamos la comida, mientras comemos, mientras lavamos los platos luego de la comida, cuando llegamos del trabajo, antes de hacer el amor, después de poner a dormir a los niños. Pero así no somos. Nunca tan malas ni tan buenas. Nunca tan arpías, tan ratas, tan hienas. Ni tan perras. Somos complejas. Más interesantes cuando tenemos pasado. Lo somos todo. Podemos serlo todo. He ahí nuestro poder. Y nuestro dilema.

A la mujer se la ha mitificado y, a la vez, ninguneado a lo largo de la historia. Se la relegó al punto cruz, a las clases de piano, a los arreglos florales. Fueron apareciendo las feministas, valiosas muchas, y muchas de ellas mostrando espesos pelambres en el ala, los bíceps bien desarrollados y aires de Atila, el huno. Pero algo hicieron ellas (o ellos, qué sé yo). Poco a poco pudimos votar, y botar, opinar, ir a la universidad, elegir qué diablos haríamos de nuestras vidas, tirarnos no a una sino a mil piscinas. Meter la pata. Vivir pues. Eso fue hace no mucho. Ahora ya no tenemos que demostrar que somos ni siquiera iguales a los hombres. Somos distintas a ellos. Y ellos lo tienen bien claro. Es que nos pasamos la vida comparando nuestros ovarios con lastres, cruces, demonios. Nuestro lamento adquiere visos de cólico psicológico, existencial, metafísico. Tranquilas, tranquilas. Riámonos de nuestras propias y bien ganadas contradicciones.

Convivamos con nuestros ovarios.
Hagamos de cuenta que son dos cerebros más.

La heroína: una de esas terribles drogas

Hace tan solo unos días, tuve que contar que estaba escribiendo un libro que, entre otros desvaríos y alucinaciones, propondría formas de ser una mujer feliz con ellos, sin ellos, a pesar de ellos. Vale aclarar que no me refiero a la felicidad como un gran tesoro oculto en el fondo el mar. No. Ser feliz no es lo mismo que encontrar la felicidad. Ser feliz tiene que ver con (des)encontrarse una misma. Suena cursi, lo sé. Pero pensándolo bien, todas las verdades suenan cursis. Volviendo a lo nuestro, el hombre que me escuchaba me formuló una pregunta que aún me da vueltas en la cabeza, por eso mismo me parece interesante someterla a la reflexión de ustedes: "¿Por qué una mujer feliz y no una persona feliz?".

Pues bien, no es lo mismo hablar de la mujer que de la persona, que aunque nosotras, las mujeres, somos personas (a veces nada más que muñecas inflables), somos distintas de los hombres. Y que, si queremos ser personas felices, debemos ser, primero, mujeres felices: diosas, apariciones luminiscentes, oráculos. No por gusto todas las culturas ancestrales representaban a la mujer como la luna y al hombre como el sol. Ella es misteriosa por naturaleza. Tiene un lado oscuro al que nadie ha podido llegar. Y a la vez es tan predecible que tiene calendario de apariciones (y desapariciones). Él, en cambio, sale cuando quiere. No existe calendario solar, pero sí protección solar. Y vaticinios de su brillo. Cuando somos jóvenes e ilusas, recibimos sus poderosos rayos sin tomar en cuenta las consecuencias (nuestras madres nos alertan todo el tiempo de lo peligrosos que son, pero no hacemos caso). Y nos quemamos hasta el alma. Solo cuando maduramos y sabemos de prudencias, nos protegemos. Ya para ese entonces hemos perdido la mitad de la piel, un tercio del alma y hemos hecho de nuestros corazones, trocitos de anticucho.

No hagamos caso al viejo feminismo que dice que las mujeres y los hombres somos iguales. Solo hace falta conocer esas comparaciones que rayan en la burla, pues dicen que *héroe* es un ejemplo a seguir y *heroína* la peor de las drogas, *perro*, un can, un animal doméstico que ladra, lame y mueve la cola; *perra*, para qué decirlo; sabes bien qué es una *perra*, al menos alguna conocerás, si es que tú misma no lo eres o lo has sido. *Soltero*, un bien activo, cotizado y deseado aunque gordo, rústico e ignorante. *Soltera*, algo debe pasar con ella, la pobre; no tuvo suerte y ahora es la tía que lleva a los niños a comer helados. *Suegro*, padre político, patriarca y proveedor de bienestar. *Suegra*, por el contrario, la Endora, bruja mayor, moticuco, presencia horrible que se nos hace inevitable, por eso doblemente horrible. Dios es el creador del Universo, el origen de todo. Diosa, en cambio, se escribe con minúscula: *diosa*. No ha creado nada y nada tiene que crear. Es nada más una mujer ricotona, a la que no le hace falta una sola neurona para ganarse aquella divina grandeza. Reímos cuando nos dicen que el hombre piensa mientras que la mujer da que pensar, que el hombre siente y no llora, y la mujer llora y no siente, que el hombre va al teatro formando parte de los espectadores para ver la comedia, la mujer va al teatro formando parte de la comedia para ver al público. Dicen que el hombre sufre y la mujer, pues, la mujer hace sufrir. Y para rematar el asunto, tenemos a Goethe, el más grande escritor alemán, afirmando que al envejecer el hombre construye su rostro y la mujer lo destruye. Es decir, ser viejo es ser hombre sabio al que hay que contemplar y atender. Incluso ser viejo no se pelea con ser padre primerizo. Ser vieja, en cambio, es estar vieja. Estéril. Seca. Es decir, viejo del alma. Vieja de mierda.

Fuera de bromas, hay estudios que revelan que somos distintos porque siempre hemos sido distintos, desde que somos *sapiens*, cuando andábamos cubiertos con pieles de paleolama, avivando el fuego, afilando la punta de la lanza. Él no tenía tiempo para enterarse de las novedades del barrio. Tenía que protegerse de los ataques del feroz esmilodón y cazar, cazar cualquier cosa que se moviera (nunca cazaba mujeres fuera de casa porque no existían los *Ladie's Nights*). Ella se quedaba en la caverna, ocupándose de los miles de niños que traía al mundo, recolectando frutos para hacer la mermelada y chismoseando con otras mujeres del clan, alrededor del noble fuego del hogar. El solo hecho de llevar en el vientre una nueva vida la tenía como un ser sagrado, mágico. Por eso mismo, ningún hombre pretendía que su mujer salga a cazar bestias para la cena. El mismísimo Eurípides, creador de las más bellas tragedias (por lo tanto conocedor de la esencia del género femenino), escribió que la mujer debía ser buena para todo dentro de casa, e inútil para todo fuera de ella.

La memoria de aquel tiempo cavernario ha instalado fuertes diferencias en nuestra evolución. Está en nuestros genes. Una cuestión de ADN. Así nos hemos conformado: como el cazador y la diosa doméstica (como bien dijo alguna vez Roseanne Barr). Por eso, el cerebro femenino no se parece en mucho al cerebro masculino, y las hormonas que recorren el cuerpo de la mujer no son las mismas ni actúan de la misma manera que las del hombre (y está muy claro, gracias a los avances de la ciencia, que somos quienes somos debido a la actividad hormonal que zozobra nuestros frágiles y voluptuosos cuerpos). Como veremos luego, hasta en el amor maternal hay una hormona dando vueltas (para comprobarlo, solo basta tener en los brazos un tierno osito de peluche). ¿Y el amor de pareja? Pues ese amor no es uno sino dos, como los seres a los cuales vincula (a veces vincula a tres, pero ese es ya otro tema). El amor de pareja es un fenómeno de la bioquímica y, por supuesto, lo menos humano de todo lo que siente el ser humano.

En fin. La supervivencia cavernícola era hostil, difícil, pero la convivencia era sencilla. Hoy en día no tenemos claro cuál es nuestro rol. Y por ende, también hemos desconfigurado los roles masculinos (sí, nosotras tenemos la culpa). De ahí el metrosexual, de ahí la hembra alfa, de ahí damas de hierro como la Thatcher y la Clinton (me refiero a él), y de ahí Gastón, el esposo de mi querida amiga Susana. Ella "para la olla", es decir, sale a trabajar para pagar las cuentas. Su esposo se las da de cocinero. Perdón, de chef, que no es lo mismo pero es igual. Se pasa la vida practicando sus cortes de *sushi*. Ella llega, él le sirve un trago. Ella le cuenta cómo le fue en la oficina, él le muestra la vajilla japonesa que acaba de comprar, hace los *makis* y decora las viandas con preciosismo de joyero. Ella le pregunta cuánto le costó la vajilla esa; él apenas le dice, ella se pone más verde que el *wasabi* que tiene enfrente y le pide que se frene un poco, pues este mes es duro. En definitiva, son la bella pareja de una película de Woody Allen: es ella quien caza el mamut. Y él quien guarda el hogar. Hace poco estuvieron discutiendo la posibilidad de, por fin, encargar un niño. Parecía que hablaban de una inversión, de un negocio. Evaluaron fríamente (en Excel) todos los pros y contras de ese gran paso. Han decidido que lo tendrán, pues él ya está listo para criar un bebe. Y ella para mantenerlo(s).

Intento visualizar a Gastón bañado en papilla y a la vez compartiendo una nueva receta de *maki* con un amigo al teléfono. Se habrá convertido en el guardián del hogar, en una madre que orina de pie. Quizás con el tiempo, es decir, en unos doscientos mil años, el macho humano se encariñe con este nuevo rol, adquiera las habilidades que tiene la mujer y exista un nuevo tipo de mito-realidad: la intuición masculina. Y claro, la capacidad de utilizar la palabra para expresar sentimientos, y para no decir absolutamente nada. Uy, y ese horrible comercial que pasaban hace unos años por la televisión en el cual se veía un grupo de mujeres alrededor de una mesa, todas hablando al unísono, será replanteado y alrededor de la mesa veremos un grupo de guapos robándose las palabras entre ellos, y pidiendo unos a otros: "Ay, hijo, pásame la Manty". Creo que más nunca querría yo saber de televisores en casa. No. No pasará. El hombre seguirá siendo el hombre. Y la mujer, el problema.

¿Qué pasará entonces con la inmensa capacidad de las mujeres de percibir los sentimientos y emociones de los suyos y los no tan suyos? ¿La perderemos?, ¿haremos chichi de pie?, ¿nos anudaremos una corbata rosa todas las mañanas? En tiempos remotos, y no tan remotos, las mujeres necesitábamos siempre ser capaces de percibir las pequeñas modificaciones en la conducta de los nuestros, así como cualquier indicio de pena, angustia, agresión, rabia, dolor. Los hombres, en su tarea de conseguir el alimento fuera, nunca pasaban demasiado tiempo en la cueva para aprender a leer señales de índole emocional y afectiva. Por eso, nosotras estamos diseñadas para comunicarnos y ellos, para no entendernos. Luego de cientos de miles de años, y desde muy niñas, estamos capacitadas para distinguir los distintos tonos de voz que escuchamos e interpretar los sentimientos de quienes nos rodean (y si no los logramos distinguir al menos los inventamos). De hecho, los tres primeros meses de vida, aumentamos nuestras habilidades de reconocimiento de los rasgos faciales en un 400%, frente al casi nulo incremento en el caso de los niños. El cerebro femenino procesa la información de tinte emocional con mayor precisión que el masculino; es por eso que ellos parecen estar programados para ignorar el estado de ánimo de ellas. Y es por eso que, demasiado a menudo, recurrimos a las lágrimas.

Puede ser que tan pronto en nuestras vidas
tengamos en nosotras el atributo de la intuición:
ese sexto sentido.
Solo habría que saberlo reconocer para desarrollarlo.
Como se hace con un talento. Con una veta.
Con una oportunidad de negocio.

Diosas y pepas

¿Cómo comprender a una diosa?, ¿por qué comprenderla? Solo basta contemplarla para conocerla. Solo hay que amarla para tenerla. Solo hay que creer en ella. Oscar Wilde decía lo siguiente: "Las mujeres han sido hechas para ser amadas, no para ser comprendidas. Si quieres saber lo que una mujer dice realmente, mírala, no la escuches". Es curioso, Wilde (y con Wilde casi todos los homosexuales que conozco), se acercan a lo que una mujer entendería por "el hombre ideal", pues comprenden de la complejidad femenina mejor que aquellos que en su lecho tienen una mujer (me divierte eso que decía Groucho Marx: "el matrimonio es la principal causa de divorcio"). Los hombres parecen no tener la menor idea de qué somos y qué queremos. Hasta que salen del clóset y hacen alarde de la generosa dosis de estrógeno que la naturaleza ha puesto y dispuesto en ellos. Y ya para entonces es demasiado tarde. Pero sigamos. Agrego lo que dijo el gran Napoléon Bonaparte (dicen que podía masticar chicle, rizarse las pestañas y diseñar estrategias de guerra al mismo tiempo): "Las batallas contra las mujeres son las únicas que se ganan huyendo". Qué carente de imaginación para ser estratega este Napoléon, pues claro que hay maneras de ganarle la batalla a la mujer. Solo exhorto a los hombres a ponerse de vez en cuando en los zapatos (de tacón aguja) de las mujeres, y a meterse un enorme tampón cada semana de cada mes, por veinticinco años. Pan comido.

Las mujeres andamos por la vida pisando fuerte y pisando huevos. Nos enamoramos, nos convertimos en *geishas*, hasta que nos dejan y nos convertimos en trapos de limpieza. Pasamos de ser princesas a ser brujas en solo diez años (puede tomarnos diez segundos). El feminismo nos ha traído buenas cosas, sí, pero nos ha complicado la existencia, porque ahora tenemos que cambiar la llanta cuando se nos revienta de noche en la carretera, compartir la cuenta cuando salimos a comer con un galán progresista, cargar nuestros bultos a los que llamamos "maletas" en el aeropuerto y, para colmo de males, soportar la tortura semanal de depilarnos la mata de vello pubiano a lo Telly Zavalas, porque los nuevos tiempos así nos lo exigen. Como si la naturaleza no nos hubiera cubierto esa delicada zona por alguna natural razón (valga la peluda redundancia). Al final, feminismo o misoginia, a cuestas, somos mujeres y estamos vivas (con o sin vello pubiano). Y si en algo nos ponemos (casi) todas de acuerdo es en dar o recibir el siguiente consejo: "tómate una pepa[*] y verás cómo todo, todito, se te hace más fácil".

---

[*] Pepa: ansiolítico, antipánico y antifóbico, es decir, se toma para calmar los dedos y no ponerlos en el aparato telefónico cuando nos morimos por llamarlo ni en el teclado de la computadora cuando estamos locas por mandarle ese *e-mail* que al día siguiente nos pesará. La pepa se usa para detener o aplacar la verborragia menstrual, la llantitis crónica, la estupidemia, la histerofonía, la riñitis, la miopía sentimental y otros males que afectan a la mujer actual.

Verborragia menstrual

Por ahí leí, en uno de esos reportes científicos, que las mujeres utilizamos un promedio de veinte mil palabras al día, superando por un verborrágico margen las siete mil palabras que los hombres necesitan para comunicarse. Claro, no sabemos si la exorbitante cifra toma en cuenta como palabras las onomatopeyas, interjecciones y demás sonidos guturales que soltamos las mujeres cuando jadeamos, cuando suspiramos, cuando gruñimos, cuando nos lamentamos, en fin, cuando nos comunicamos, y que suenan como *ay, uy, ayyyy, au, uauuu, uf, uffff, aj, oh, oooh, pof, fo, nooo, si si si, ¿ah?, aaah, uhm, mmmm, miércoles, carajteres, carijo, hijoepú*, en fin, en fin, nunca acabaríamos de poner en el papel todo lo que nace del útero y sale de la boca volcánica, eruptiva, insolente e incontinente de una mujer (perdón por todo, Hugo). Pero volvamos a las veinte mil palabras: tenemos veinte mil razones para ser mujeres y no pedir perdón por ello, veinte mil formas de manipular y conseguir lo que queremos, veinte mil maneras de expresar nuestros sentimientos a quienes queremos (y a quienes no tanto) y, por supuesto, veinte mil probabilidades de meter la pata. Puede ser que, por eso, todo el tiempo estemos diciendo sandeces como:

- Necesito hablar contigo
- No me estás escuchando
- Ya no me quieres
- ¿Por qué ya no me dices cosas románticas? (o simplemente: ¿por qué ya no me dices cosas?)
- No me has dicho nada de mi nuevo corte de pelo
- No he recibido un solo *e-mail* tuyo durante tu viaje
- Me veo gorda, ¿no?
- Estás serio
- Estás distante
- Estás pensativo
- Estás raro
- Estás demasiado tranquilo
- Estás normal
- ¿Qué piensas?
- ¿Qué andas pensando?
- ¿Qué miras?
- ¿Qué ves?
- Ya pues, dime algo, dime, dime, dímelo

No te sientas mal de querer hablarle, hablarle en el carro, hablarle mientras él se afeita (últimamente se rasuran hasta los pendejos), hablarle en el avión mientras él lee su libro, hablarle cuando hacen el amor, después de que hacen el amor, hablarle mientras duerme, hablarle cuando ronca. Y lo que es peor, hablarle cuando él mira su fútbol, o cuando se cuelga la máscara para controlar la apnea en las noches. Tú sigue tus instintos, hazle caso a tu caos hormonal, a tu divina femineidad. Tú háblale nomás. Simplemente, háblale. Pero no esperes que te hable de vuelta. Y no te molestes con él si no lo hace. Él no necesita contestar porque él no necesita hablar. Contesta tú por él. Contéstate. Y si no logras contestarte, llama a una amiga y vierte en ella toda tu verborragia. Ella sabrá escuchar (y contestarte).

Eso sí: hay horas y horas para el uso de nuestras veinte mil palabras. La noche no es para palabras si no son de amor. La noche es para susurros, encajes, sábanas revueltas, copas, un cuerpo fundido con el nuestro (o una película en DVD y calzón de Pucca si no estamos de humor), una buena conversa. La noche siempre es propicia para una chimenea encendida y, si no la tenemos, que es lo más seguro, para ponernos a la luz de las velas (velitas misioneras si no tienes presupuesto). La noche es para promesas, aunque duren lo que dure el día en llegar. La noche es la dimensión de la fantasía. De lo efímero. De lo fugaz. Deja para el día la palabra cuando esta intenta pedir algo que no se te da. Deja para el día el reproche, el reclamo. No hagas surgir de las tinieblas esa cosa horrible que todas llevamos dentro y que se alimenta de las palabras, como el demonio de Tasmania de todo lo que a su paso encuentra. Esa cosa monstruosa a la que ellos llaman *histérica*.[*]

La palabra es la perfecta compañera de la histeria. La palabra puede traicionarnos. Cada día, tenemos veinte mil palabras que nos seducen con su brillo, veinte mil piedras en el camino con las cuales tropezamos, veinte mil razones para ser generosas y veinte mil armas con las cuales empezar una guerra. Las palabras esperan su turno para hacernos quedar bien, y para hacernos daño, para cautivar (si somos inteligentes), o para evidenciar nuestra naturaleza brujil (si lo somos y, a veces y muy a pesar nuestro, aunque no lo seamos).

> *Las palabras se ponen a nuestro servicio*
> *cuando nos ayudan a expresar,*
> *y nosotros nos volvemos esclavas de ellas*
> *cuando nos vemos tentadas a dañar.*

---

[*] Importante tomar en cuenta que los hombres, cuando nos califican, no dicen: "es una mujer histérica" sino simplemente "es una histérica", pues sonaría (como suena) redundante. Una categoría atraviesa a la otra. *Hystericus*, del griego *hysterikós*: "relativo a la matriz y a sus enfermedades".

Cuenta hasta diez

Cuántas veces no has querido decirle a un hombre algo terrible como: "¡Lárgate!", "Eres un tremendo idiota", "Ojalá el avión se caiga", "Te deseo lo peor", "Nunca serás feliz", "Me das náuseas", "Cómo he podido estar con un tipo como tú" (ay, Hugo), pero cuenta hasta diez y respira, respira hondo. Las palabras se agolparán en tu garganta; sí, arderán como llamaradas en la punta de tu lengua; invadirán tu boca como pólvora que se enciende y querrás que salgan, que quemen, que se disparen, que te dejen en paz. Pero deberán salir palabras sensatas como: "Tómate tu tiempo, corazón", o "Está bien, yo comprendo", o "Si tú lo dices, tendré que confiar en ti", o "Si eso es lo que piensas, debo respetarlo", o simplemente "No te preocupes, yo estaré bien" (y lo que queremos es cortarnos las venas), y las palabras se vuelven una delicia, un goce intenso eso de modularlas, decirlas, escucharlas salir de nosotras para desconcertar al rival hasta, quién sabe, hacerlo perder en este ancestral y maravilloso juego de fuerzas al que algunas personas llaman (llamamos) *amor*. Quién sabe si esas últimas y sabias palabras que le dijiste (que le propinaste) a quien creíste perder se conviertan en las primeras y únicas que prevalezcan en él y te dibujen en su memoria como la sabia mujer que supo perder y por eso mismo, ganó. O como la hiena que felizmente, desapareció.

Recuerda que eres dueña de tus silencios,
esclava de tus palabras
y víctima de tus hormonas.

Si eres mujer, sabrás lo horrible que es que un hombre te diga cosas como: "¿Sabes qué?, en este momento no es buena idea que hablemos, estás demasiado alterada, ya hablaremos cuando te calmes" y *click*, te cuelgue el muy desgraciado, y te deje con las ganas de decirle que lo odias, que lo amas, que lo necesitas, que nunca más quieres hablar con él, pero que te escuche lo que le vas a decir, que no fue tu intención, que fue tu culpa, que fue su culpa, que estás con la regla, que no te sientes bien, que lo que pasa es que el otro día me dijiste y entonces te dije, y así no son las cosas, no todo es como tú piensas, claro que te quiero, ¿de dónde has sacado eso? Ay, cuando los hombres nos cuelgan el teléfono, con esa vil-viril pasividad que los caracteriza, podemos enloquecer, y llamamos de vuelta y de nuevo nos dicen que no es momento para hablar, y no solo porque nosotras estamos alteradas sino porque ellos se han puesto de mal humor, entonces cuelgan nuevamente, no sin antes avisarnos, muy caballeros ellos, que irán a colgar, y si llamamos de vuelta y no contestan, dejamos esos mensajes verborrágicos, llorosos, culposos o culpabilizadores, y se acaba el tiempo de grabación del mensaje en el servicio de su celular y volvemos a llamar para terminar de decirle lo que le estábamos diciendo en un mensaje anterior, y seguimos hablando, llorando, diciendo, perdonando, culpando, acusando, y luego se acaba el tiempo del segundo mensaje y colgamos y volvemos a llamar y esta vez el teléfono está desconectado, es decir, el hombre se ha dado el lujo de apagar el bendito celular, y no hay cosa que más detestemos que hagan eso; odiamos no poder comunicarnos, y queremos agarrar el carro, el avión, la bicicleta, teletransportarnos, tirarnos del piso diez, e ir a buscarlo donde quiera que esté solo para decirle..., no, no sabemos qué vamos a decirle, simplemente queremos ir a decirle algo, o mucho, y cuando lo tenemos enfrente, él metido en su bata, con sus pantuflas recién puestas y el control remoto en la mano, y nosotras con la llantina en los ojos y las manos temblorosas, el abrazo sea lo único que realmente diga lo que con tanto esfuerzo queríamos decir. O, en su lugar, una buena bofetada, propinada solo, y solo si, el hombre se la merece. Tú lo sabrás. Y si tú no lo sabes, él sí.

Ellos tienen el control (remoto)

Es probable que tú seas la señora de la casa, la que manda, la que da las órdenes, la que dispone, la que elige lo que se come y cuándo se come; pero él siempre será el dueño del control remoto. Intenta visualizarte a ti misma desparramada en la cama, mirando las noticias, con las piernas semiabiertas, rascándote la bola izquierda con la mano izquierda y agarrando el control remoto con la derecha. No creo que puedas ni rascarte las bolas ni visualizarte haciéndolo. Son ellos, los hombres, quienes generalmente se rascan las bolas y quienes tienen el control remoto. Me atrevo a sugerir que el control remoto no es solo un mando a distancia. Es la prolongación del pene. Es el pene. Y el hombre anhela tener el control sobre su pene (algo no muy usual), pues sin él se siente vulnerable. Castrado.

El control remoto es la afirmación de su virilidad y es, a la vez, su caverna, su refugio, su espacio. El lugar donde puede procurar la independencia esa que precisa. El silencio femenino. Pues para invasiones, verborragias, comunicaciones, elocuencias, charlas desesperadas, estamos nosotras: las mujeres. Quitarle, o peor aún, arrancarle a un hombre el control remoto, es negarle su virilidad. Castrarlo. Y nosotras no queremos castrar a quien amamos. A quien nos da placer, que es, para fines utilitarios, lo mismo. Amén que no envidiamos el falo. Esa teoría freudiana ya pasó de moda. Me atrevo a decir, incluso, que nos sentimos aliviadas de no tener un potro desbocado entre las piernas.

Pero ¿qué tiene que ver el control remoto con la verborragia femenina? Pues todo. El control remoto, como el pene, es un arma de doble filo en la armonía de la pareja. Puede apaciguar una erupción verbal como puede desencadenar una guerra nuclear. Sin ese milagroso aparato, la relación sería una torre de Babel. Con el control remoto en la mano (derecha), el hombre tiene la facultad de detener esa verborragia. ¿Cómo? Simplemente apaga a la mujer encendiendo el televisor. La abraza fuerte, le da un beso, la calma. Trata de no decirle nada porque ella está alterada y simplemente él prefiere que ella se desaltere sola (cada vez que él le responda algo a ella, ella tendrá más argumentos para alterarse más o, en su defecto, seguir alterada). Y hace *zapping*. Se hace como con la mayoría de los niños, a quienes se les coloca frente a una pantalla cuando entran en pataleta y no logran salir de ella: simplemente estupidizándolos para que no se sigan dando cuerda. Calmándolos. Calmándolas. Comprendiéndolas. Amándolas. Por otro lado, que el hombre apague a la mujer prendiendo el televisor es un acto temerario y riesgoso. Está alimentando a la bestia al contenerla. La hace más fuerte, pues al detenerla, se le quedan metidas entre el útero y el hígado algunas miles de palabras de las veinte mil que necesita utilizar ese día, porque si no el día siguiente aumenta el número y el problema crece como una bola de nieve. Todo un rollo.

No puedo dejar de contarles lo que me pasaba muy a menudo con Hugo, un ex novio. El hombre era tan parco en su comunicación que apenas soltaba un par de palabras en la noche, antes de poner a funcionar el televisor y dejárselo todo a él. Su economía verbal me llevaba a imaginar distancias generadas por un desamor, quizás otra mujer inspirando sus más hondos pensamientos (o un hombre). Pero Hugo pensaba en números; pensaba en los activos del negocio, en la inversión por venir, en la llamada telefónica por hacer a primera hora del día siguiente. Vivía a unas cuadras de distancia de mi casa. Había días en la semana en los que era yo quien agarraba mi carro para ir a verlo; veíamos televisión, comíamos papitas Pringles, conversábamos de todo y de nada. Cuando teníamos una discusión (es decir, casi siempre aunque él ni cuenta se diera), yo fruncía el ceño, me exasperaba, decía cuatro(mil) cosas y me retiraba de su casa. Tomaba el ascensor, como quien no volverá jamás, y me iba (anunciaba que me iba). ¿Él? Él se quedaba quieto, mirando su programa, masticando sus crocantes papitas Pringles. Y yo, como un porfiado, como un balancín y un montacarga, iba del piso catorce al primero y del primero al catorce (con la atónita venia del elegante portero de pana azul y botones dorados). Cada vez que llegaba al primer piso, sentía que había algo que no le había terminado de decir y subía. Con cada subida, Hugo abría nuevamente la puerta, sonriente y tranquilo, y yo volvía a entrar para decirle más cosas; palabras, palabras, palabras que brotaban como borbotones de lava. Mi lengua era el Cracatoa. Mi incontinencia verbal se confrontaba con su espantosa serenidad. El hombre simplemente oía y no escuchaba. Tan solo apretaba su tubo de Pringles como si pensara *más vale pájaro en mano que papas volando*, y se sentaba nuevamente, con resignado gesto, a mirar la tele, no sin antes abrir la boca para pedirme: "¿Me pasas el control remoto, mi amor?". Y yo, rendida, luego de bajar y subir, de decir y desdecir, me sentaba a su lado, a mirar el *zapping* como quien mira la vida pasar frente a sus narices. La verborragia se detenía, sí. Pero el útero se inflamaba.

Quizá, podemos entender por qué, cuando queremos hablar con ellos de algo y se los anunciamos con un "Tenemos que hablar", "Quiero hablar contigo", "Necesitamos conversar", ellos simplemente acuden a su trinchera, a su aliado estratégico: el control remoto. Estará en cada uno de ellos decidir hasta dónde escuchar, hasta dónde responder y cuándo, simplemente, tomar el control.

Otros males que aquejan a la mujer de hoy

Si la verborragia o verborrea fuera el único mal que nos aquejara a nosotras, hembras del nuevo milenio, la relación con ellos no se nos haría tan difícil. Es más, pasa que los hombres siempre dicen que las mujeres de pocas palabras, mejor aún las mudas, son compañeras ideales. Sintomático, sí. Pero hay otros males que nos aquejan, algunos de ellos incurables. Otros, pasajeros. Otros tantos, fatales como el amor cuando no es correspondido (o una tarjeta de crédito sobregirada).

LLANTITIS AGUDA

Incontinencia femenina en el llanto causada por cualquier cosa que no es importante ni relevante. Suele atribuirse al exceso de nada y a la ingesta de excesivas cantidades de lechuga en la rutina alimenticia. La llantitis aguda se trata con una buena dosis de sexo oral (versión del "tete" que succionan los infantes cuando quien los supervisa quiere detener el llanto); y, de no curarse por esta vía, se sugiere permitir a la enferma salir de compras por una semana con crédito ilimitado.

Estupidemia

Epidemia de estupidez, frecuente en mujeres que pasan de ser hijas de sus padres a ser hijas de sus maridos. Se trata de un virus degenerativo que va carcomiendo las neuronas de la mujer, la cuenta bancaria y la paciencia del marido. No se manifiesta hasta muy entrado el mal, cuando el cerebro de la víctima empieza a mostrar signos de enmohecimiento. La estupidemia lleva gradualmente a la víctima a parecerse a todas las demás mujeres que la rodean.

Fiebre de sábado por la noche

Ataques de angustia acompañados de estados febriles que experimentan algunas mujeres cuando se encuentran sin un perro que les ladre los sábados por la noche. Estos episodios piréticos nocturnos suelen curarse con un combo de whopper con papas fritas, o con la adopción de una mascota que pueda ladrar, lamer y dormir al lado. No se recomienda a la paciente salir a los bares cuando sufre este tipo de alteraciones biopsicopatológicas, pues podría contraer severas nupcias con cualquiera que se le cruce.

Riñitis

Inflamación de la relación de pareja producida por las constantes riñas de la paciente con ella misma. La riñitis es común en mujeres desde los diez hasta los noventa años con alto nivel de desbalance hormonal, y afecta al 98,5% de la población femenina (me incluyo). Se recomienda tratar la riñitis con una buena dosis de píldoras calmantes que deberá ingerir, no ella, sino la pareja. Si el problema persistiera, se recomienda a la paciente pedir un *abrazo de oso*.

Presbicia sentimental

Defecto de la visión que muchas mujeres tienen a la hora de elegir al objeto amado. Consiste en no ver el tremendo error cometido cuando está enfrente y solo reconocerlo cuando este se aleja. Usual en mujeres que tienen un alto grado de responsabilidad laboral y/o política.

Labio reperrino

El labio reperrino es un defecto singénito y cirujánico. En su afán por buscar atraer al hombre, la mujer se hace hinchar los labios con silicona hasta deformarlos y conseguir el efecto reperrino: tener una vagina dentada en vez de una boca. Común en mujeres económicamente independientes que pasan los cuarenta. No se ha encontrado cura a este terrible mal, salvo el encierro definitivo de las víctimas en sus casas y el encarcelamiento de los cirujanos plásticos responsables.

Esfínter sensible

Padecimiento propio de mujeres afectadas por acontecimientos estresantes en sus vidas como el matrimonio de un ex marido o el *sale* de temporada. Este mal trae como consecuencia la cerrazón de la cavidad esfintérica anal, con una grave secuela de paulatino encacamiento interno de la paciente, el cual puede llegar a comprometer el sistema neuroquímico hasta hacer de la existencia de la víctima, literalmente, una mierda. En el argot popular se le conoce a aquellas mujeres que padecen este terrible mal como *culifruncidas*.

Cálculos

Propio de mujeres con alto nivel de testoterona, competitivas y competidoras, cazadoras, proveedoras, protectoras, patriarcas. La necesidad de ejercer el control en todos los ámbitos de la vida, y sobre todas las personas que la rodean, lleva a la enferma a perder la espontaneidad, frescura (y gracia). Uno de los primeros síntomas de este terrible mal es la necesidad que siente la mujer de escribir cartas de amor en Excel y la terrible picazón en las bolas.

Insuficiencia sexual

Lo que vulgarmente se conoce como "falta de hombre" y, en ciertos ambientes no recomendables, "falta de catre". Este, más que un mal, es una lástima, pues mujer sin hombre es como mar sin peces. La insuficiencia sexual se manifiesta a simple vista y con solo acercar la nariz a un metro de la víctima, pues suele tener un *no sé qué* (o mejor dicho, suele no tenerlo).

Putitis

Inflamación de la libido que produce deseo irrefrenable de la víctima de meterse con cuanto hombre tiene a su vista. Dicha afección se agudiza cuando el microorganismo (es decir, el hombre) es ajeno (como el plato de comida, que siempre es más rico si es del vecino de mesa). Si es billetudo, la putitis se vuelve crónica y degenerativa.

Mujer que no jode es hombre

El mundo recién existe, Eva recién es, y ya se dibuja como el ser que echa a perderlo todo. Eva trae a la Humanidad vergüenza, pobreza, dolor, hambre, miseria, abandono. Eva es la Humanidad. Eva no solo es la varona, la hembra primera, el arquetipo mayor. Eva es la serpiente. Eva es la manzana. Eva es el árbol. Eva es el paraíso en los extramuros del Paraíso. Eva es la Madre. Eva alumbra el pecado. Trae al mundo la mancha con la que todos los que venimos, llegamos. Tal es la consecuencia de su único y terrible acto, que seguimos pasando por la historia, amén de haciéndola, sin poder quitarnos de encima su mano negra. Como buena mujer primera y primaria, Eva le jodió la vida a Adán al entregarle lo único que no debía entregarle: una manzana. La manzana. Prohibido placer y por ello doblemente placentero. De ahí en adelante, todas nosotras somos evas que tentamos, hacemos sucumbir, vulneramos voluntades, echamos a perder vidas, cabezas, paraísos. Pero Eva es también el camino hacia la realidad. Al encarnar el pecado, encarna la redención. Al encarnar el placer, es la imagen de la sensualidad hecha goce. Y de los sentires nace la sabiduría humana, a menudo en desarmonía con aquella otra sabiduría enajenada, inhumana (o sobrehumana), por ello distante: la divina.

Pero antes de Eva está la otra Eva: Lilith, no la Madre primera, la primera Perra (ojo: solamente porque se subleva). Según algunas interpretaciones, Lilith aparece en el Génesis antes que Yahvé le diera a Adán una esposa formada a partir de su costilla. Dios creó a Lilith de la misma manera que creó a Adán: a su imagen y semejanza (pero, sintomáticamente, mezcló la tierra con el estiércol). Lilith abandona a Adán y el Jardín del Edén cuando su esposo intenta dominar en el acto sexual. Ella se rebela, le pregunta: "¿Por qué he de acostarme debajo de ti? Yo también fui hecha con polvo, y por lo tanto soy tu igual". Como Adán trató de obligarla a obedecer, Lilih, encolerizada, pronunció el nombre mágico de Dios, se elevó por los aires y lo abandonó, yéndose a vivir a las orillas del Mar Rojo, hogar de demonios, donde se entregó a la lujuria y pasó a ser un bello, bellísimo súcubo, ser facultado para echar a perder la vida de los hombres. Quizás de ahí nos viene el "Ay, Dios" que pronunciamos cuando el goce y la lujuria nos atrapan.

Ahora, ¿por qué me remonto a las leyendas de Lilith y Eva? La realidad es fuente de leyendas. Se nutre de ellas. Del sentir y pensar de quienes somos de carne y hueso nacen los seres que no lo son. Lilith y Eva son mito, pero son realidad, pues la mujer da la vida y la desgracia. Cuando cae al abismo nunca lo hace sola: arrastra con ella a los seres que engendra, que ama, que manipula, que la acompañan (de ahí que detrás de un gran hombre hay una gran mujer). Si las mujeres primeras arruinaron la vida del hombre primero, todas las demás mujeres tendrán licencia para hacerlo. Si todas las mujeres somos liliths y evas, todos los hombres son adanes. Si todos los adanes son hombres, todas las liliths y evas son manzanas, serpientes, súcubos, demonios, mujeres. Ergo, joderán. Porque jodieron desde el principio de los tiempos. Ay, los Evangelios. Misóginos y convenientes para nosotras que jodemos tanto.

Si en las Sagradas Escrituras consta ese rasgo tan femenino de joderle la vida al hombre, no queda para él sino aceptarlo. Se trata de una verdad milenaria, primigenia, absoluta, dicha por Dios. Escrita con sangre. Y por ende hay que asumirlo, creer en ello, adorarlo, tenerle fe. Celebrarlo. Y esperar que, si fuimos nosotras las responsables de sacarlos del Paraíso, podamos nuevamente llevarlos a él. Quizás así se explica que hasta los más sabios de los hombres se dejen manipular por una mujer (o varias). Incluso los más poderosos se dejaban trinchar por demonios bellos. Y esperaban ser conducidos al reino de los cielos por uno de ellos. De ahí Dante, Beatrice, y una comedia divina. Y tan humana, por cierto.

En el inconsciente colectivo femenino (y masculino),
nacemos jodidas y vivimos jodiendo.
De los 28 días de nuestro ciclo menstrual,
joderemos 17, prejoderemos 10
y dejaremos de joder 1, que será el día
que estemos demasiado cansadas
de haber estado jodiendo.

La insatisfacción femenina

Las mujeres solemos sentirnos insatisfechas muy a menudo. Insatisfechas con lo que somos, con lo que tenemos, con lo que queremos. Si tenemos el pelo negro, lo queremos rubio. Si lo tenemos corto, lo queremos largo. Si subimos un kilo, nos sentimos gordas. Siempre estamos mirando lo ajeno con más beneplácito que lo propio. Y comprando ilusión. Por eso existe la baba de caracol, la yesoterapia, el baño de lodo del Mar Muerto, el maquillaje y las cremas rejuvenecedoras, los perfumes desatapasiones, las planchas para acabar con los rizos y los *push-ups* para acabar con los hombres. La insatisfacción femenina mueve millonarias cantidades de dinero, genera puestos de trabajo y, por ende, bienestar social.

Pero la insatisfacción femenina es nuestra peor enemiga cuando de relaciones de pareja se trata. Acostumbramos pensar que no somos lo suficientemente queridas y comprendidas por quien está a nuestro lado. Ahí empieza el problema, pues no hay cosa que haga huir a un hombre más rápido que una mujer que se muestra insatisfecha (cosa que sabemos expresar con gran histrionismo). El hombre aguanta casi todo menos percibir que no puede satisfacer a su mujer (o a la mujer de otro con la que él tiene un romance furtivo). Acordémonos que él es un macho, en el mejor de los casos un macho alpha, * un macho beta, incluso, cuando no le da el cerebro y la billetera, un macho omega (que sigue siendo un macho), y por eso, en su naturaleza está el proveer a su mujer, proveerla de alimento, de seguridad, de protección, de satisfacción, de placer. Al percibir que no llega a cumplir con esos deberes que su propia naturaleza le ha designado, sentirá una inmensa frustración. Y querrá dejar de sentirla. En otras palabras, largará a la

---

* Macho alfa, beta y omega clasificación de la ciencia que estudia el comportamiento de los animales, llamada etología. En la jerarquía de un grupo animal, el primero es el macho alfa y el segundo el beta, el cual es el contendiente y subordinado del macho alfa, pero solamente tras ponerlo a prueba. El beta actúa como segundo comandante y puede destronar al macho alfa. El término macho omega (macho-ω) es un antónimo frecuentemente usado en un modo despreciativo o autodespreciativo parar referirse a machos en el escalafón más bajo de la jerarquía social. El culto al éxito está presente hasta en el reino animal.

insatisfecha hembra que lo hace sentir insatisfecho, y vendrá el "necesito mi espacio" (o no hará sonar ninguna alarma y de buenas a primeras, estará con otra. Una que sonríe).

Es curioso observar que hasta en las películas pornográficas, el hombre no necesariamente emite sonidos, pero la mujer de todas maneras emite sonidos de placer. Sonidos que comunican satisfacción, que están dirigidos al hombre que atiende a esa mujer en ese momento (y a todos los que están mirando la danza a través de una pantalla). Puede ser que esos sonidos guturales, interjecciones, onomatopeyas e invocaciones al Dios Padre que ella produce, sean fingidos. Recordemos que un gran porcentaje de lo que percibimos como real está solo en nuestra imaginación. Tomemos en cuenta que ellos no tienen que querernos como nosotras queremos ni tener los gestos para con nosotras que nosotras tenemos para con ellos. Somos distintos. Por eso, queremos distinto.

No inventes insatisfacciones. Ya no hay razones para sentirnos las víctimas. Es más, son ellos, los hombres, los que podrían sentirse hoy en día las víctimas, pues estamos quitándoles los puestos de trabajo. Pero ese es ya otro tema. Por lo pronto, guarda tu insatisfacción para aplacarla en un centro comercial, a través del bisturí o teniendo un tórrido romance. Deja la cara larga para la sala de espera del ginecólogo. Y sonríe.

Las mujeres debemos entender la sutil diferencia entre ser una jodida y ser una insatisfecha.

La vida es una góndola

*De mayor
quiero ser mujer florero*
Ella baila sola

Mucha de la insatisfacción que manifestamos tiene su origen en la incurable manía que tenemos las mujeres de compararnos con las otras.

Dos mujeres son dos marcas de leche en la góndola del supermercado. Una al lado de la otra, compitiendo por el espacio, ofreciendo sus bondades en etiquetas de colorinches, prometiendo nutrición, crecimiento, ofertas y promociones. Dos mujeres pueden ser productos tan distintos como un atado de albahaca fresca y un paquete de galletas Oreo con relleno de limón. Incluso una es un par de guantes de lavado extraresistentes y la otra, pues la otra, una bolsa de huesitos para cachorros. Ni siquiera si son el mismo producto y de la misma marca, serán iguales (no existe ser igual a otro). Pero las mujeres poco o nada entendemos de eso. Al compararnos, nos igualamos. Y eso hacemos cuando el momento nos congrega. Nos miramos de pies a cabeza, nos tasamos, nos sentimos amenazadas, pues estamos en el mercado, es decir, en la bulliciosa góndola de la vida, ofreciéndonos en la locura mercadotécnica, a veces con tal presión de saltar al carrito de compras como una de esas paltas a las que el tiempo empieza a madurar y debe ser consumida. O como un periódico que ya debe ser retirado porque mañana entrará la siguiente edición y esa, simplemente, pierde toda vigencia.

Por las cabezas de las mujeres-producto pasarán pensamientos como:

- Yo tengo mejores tetas
- Qué tal cartera, debe tener mucha plata
- ¿De dónde habrá sacado ese vestido? ¿Cómo diablos hago para tener uno igual?
- Qué cuerpazo tiene
- ¿Quién le hará los *highlights*? ¿cómo hago para averiguarme?
- No sabe nada de ese tema la cojudaza, yo podría responder mejor a esa pregunta
- Qué tal raza
- Qué novio más churro, qué suerte tiene (la muy desgraciada)

El caso de Helga ilustra este problema. Ella es una mujer, en realidad una caricatura viva de mujer, todo aquello por lo cual nos ganamos el apelativo de brujas. Helga tiene cara de bruja, nariz de bruja, maneras de bruja. Se muestra insegura (todas lo somos en algún grado), desesperada, chismosa, fea porque su alma lo es. Cuando pasa a su lado una mujer guapa, ella suelta un "Aj" que le sale de su putrefacto corazón. Todas las bellas son de "reputación dudosa", y las obesas, sus amigas. Le encanta el dinero pero no tiene el talento para gastarlo. Entonces se refugia en el botox, se compra *jeans* carísimos con tachuelas brillantes y se deja las uñas demasiado largas (las de los pies). Se maquilla demasiado para las reuniones de padres de familia del colegio, y es una suerte de radar de las novedades en el circuito de la chismografía. A Helga me la puedo imaginar como uno de esos rollos de chicle *tutti frutti* al lado de la caja registradora del supermercado, gritando con su envase de plástico rosa estridente, de esos que refulgen en la oscuridad. Expresiones como las siguientes se repiten como estribillos en este tipo de mujeres:

- A mí no me parece tan guapa
- Me han contado que es una desgraciada, que maltrata a los hombres, por eso está sola
- Se cree lo máximo
- Es una tremenda perra
- Tiene un genio de miércoles
- Qué se cree esta, ¿has visto su familia?
- Es una bruta
- Si tiene una neurona, es bastante

Basta que una sea un poquito más agraciada (o simplemente no parezca miembro de una asociación de estibadores) para que sea víctima de las lenguas viperinas de las mujeres que no tienen claro qué bondades ofrecen en el mercado. Y si da la casualidad de que alguna de las mujeres que atraen miradas está en busca de pareja entonces la amenaza será percibida mayor. Y el insulto será doble.

Y ellos, pues es síntomático que ellos nos suelten expresiones como "me vendiste tal cosa", o "ya, ya, a mí no tienes que venderme nada (es a mi mamá a quien tienes que convencer)". Es decir, está claro que somos productos. Que estamos en venta. Que competimos en un mercado difícil. Que nos compran. Que no siempre sabemos poner precio a lo que ofrecemos. Que a menudo nos rematamos.

> *Dos mujeres, cuando han pasado una hora hablando mal*
> *de otra mujer, creen sinceramente ser amigas*
> *hasta la muerte*
> P. Courty

Si la vida en esta góndola es una constante batalla, entonces debe de haber espacio para las estrategias. Sobre todo cuando de lo que se trata es siempre de sumar y nunca de restar. Solo sumando una gana la batalla. Restar es perder, aunque se tenga la percepción de una victoria. Elige amistad antes que enemistad. Respeto antes que desconsideración. Si no tienes las ganas ni la moral ni la grandeza interior ni la cristiandad para dirigir tus acciones por este camino, hazlo por audacia, por conveniencia, por pura estrategia, por política. Usa estos consejos como armas para vencer en la dura batalla que libran las mujeres entre ellas. Y dentro de ti misma.

Basta que seas más delgada o tengas menos rollos, que seas más exitosa con los hombres, más reconocida como profesional, que sonrías más a menudo y, sobre todo, que estés sin pareja en un cóctel, para que te conviertas automáticamente en una amenaza. Sobre todo si no pesas más de noventa kilos y te has depilado los bigotes antes de salir de casa. Cuando una llega a un evento social y sabe que llama la atención (no por ser un fenómeno, sino porque una se encuentra relativamente atractiva para los hombres) debe intentar no exponerse a las malas ondas de las demás mujeres. Generalmente, las mujeres son la puerta de entrada a muchos círculos, pues son ellas las que organizan los eventos, las que invitan, las que reciben, las que atienden. Las que deciden. Las que te crucifican o te aceptan:

Sonríe

Sonríe a ellas más que a ellos. Sonríele a esa que te mira feo. La sonrisa ejercita los músculos de la cara. La sonrisa es antioxidante. La sonrisa atrae sonrisas, por ende, personas. La sonrisa desarma. La sonrisa invita. La sonrisa desalienta al rival a seguir siéndolo. No tengas miedo de regalarte. Regalarte a otras mujeres te puede abrir puertas. Regalarte a un grupo de hombres puede desencadenar una guerra. Pero sobre todo, sonríete a ti misma.

Ir primero donde ellas están

Muchas mujeres se aburren cuando están rodeadas nada más que de otras mujeres. Buscan la compañía de los hombres para sentirse estimuladas, chispeantes, divertidas. Pero la mujer sola debe ser doblemente prudente a la hora de buscar grupos y preferir el de ellas.

Soltar un halago

No temas halagarle a una mujer el color de su pelo, lo bien que se ve su cutis, lo linda que está con ese vestido, lo bien que le queda ese peso, lo bueno que te pareció su último libro (esa va para cuando te encuentres conmigo), lo inteligente que es, lo talentosa que es. No tienes que ser hipócrita. Solo se trata de ser generosa.

Ese escote no conviene

Paradójicamente, la libertad de la mujer sola es su cadena y a ella está atada: no dar motivos debería ser el sabio reto para sobrevivir entre brujas. Un escote pronunciado cuando una está rodeada de otras y otros y no tiene pareja es una provocación, un poco de dinamita. No serás tú de quien hablen: será de los tres de quienes se hable, no precisamente bien: de ti y de ese par de pechos que osaste poner a la disposición de los hambrientos ojos masculinos y femeninos. No. Guárdate ese escote para otras ocasiones, provoca cuando quienes te rodean no tienen dueña, o seduce cuando tengas bien agarrado de tu mano a tu pareja. Nada más bello que un buen escote. Por eso mismo, úsalo con prudencia.

ESE ÚLTIMO TRAGO

Cuidado que hasta los que más se enorgullecen de tener cultura alcohólica tienen un mal día. Si una mujer emparejada que se ha pasado de tragos es una escena desagradable, una mujer sola que se ha pasado de tragos es susceptible a todo tipo de eventos. Incluso hasta los que al día siguiente no recuerda.

La belleza: un arma química

Cada cuerpo tiene
su armonía y
su desarmonía.
En algunos casos
la suma de armonías
puede ser casi
empalagosa.
En otros
el conjunto
de desarmonías
produce algo mejor
que la belleza.

Mario Benedetti

Estoy casi segura de que cuando J-Lo apenas era una aspirante a estrella latina, con sus ya generosas curvas y esa vocecita amerengada, muy al principio de su "exuberante" carrera, ya podía pasarse las luces rojas de los semáforos, atravesar avenidas principales sin siquiera sobreparar en los cruces y superar los límites de velocidad en las monótonas carreteras gringas sin ningún problema. Me la imagino abanicando al acalorado uniformado con sus larguísimas pestañas recién puestas mientras le suplicaba, como una niña a su padre: "No me haga eso, jefe, no sea malito". Y él, la autoridad, quien ostenta el poder, claudica: la perdona, la deja ir. Él decide, pero ella decide, él sabe que nada decide, él es la víctima de la belleza, ella lleva consigo la belleza como quien porta un virus letal, un arma química que es capaz de acabar con la vida de quien ande cerca.

No hace falta ser J-Lo, no es requisito tener un globo terráqueo por trasero, ni siquiera ser una mujer rebosante para contar con aquello que desarma a los hombres, que puede hacerlos perder la cabeza y sucumbir: nuestra belleza. Entiéndase por belleza mucho más que apariencia física, es alquimia; una combinación de ciertos atributos físicos con alguna dosis de audacia, inteligencia, tino y/o elegancia. Una mezcla bombástica que constantemente destruye a los hombres, que despierta en ellos un apetito voraz a la vez que adormece su sentido de lucidez (y el sentido de lucidez de los historiadores como veremos a continuación).

Una mujer y su belleza forman un dúo explosivo. Mata Hari es el ejemplo por antonomasia: irresistible, audaz y, como ella misma dijo antes de ser fusilada por un turbado pelotón, "Ramera sí, pero traidora jamás". Pero antes que ella, muchas otras, desde Eva hasta Paris Hilton, pasando por Cleopatra, irresistible a emperadores, soldados y poetas. Plutarco describió muy bien a la faraona egipcia:

Se pretende que su belleza, considerada en sí misma, no era tan incomparable como para causar asombro y admiración, pero su trato era tal, que resultaba imposible resistirse. Los encantos de su figura, secundados por las gentilezas de su conversación y por todas las gracias que se desprenden de una feliz personalidad, dejaban en la mente un aguijón que penetraba hasta lo más vivo. Poseía una voluptuosidad infinita al hablar, y tanta dulzura y armonía en el son de su voz que su lengua era como un instrumento de varias cuerdas que manejaba fácilmente y del que extraía, como bien le convenía, los más delicados matices del lenguaje.

Ana Bolena es otra legendaria mujer que supo administrar su belleza (hasta que literalmente perdió la cabeza). Su influencia sobre Enrique VIII, rey de Inglaterra, lo lleva a renunciar a su reina consorte, la gran Catalina de Aragón, y a romper relaciones con la Iglesia Católica. Ana Bolena cambia el rumbo de varias historias paralelas: las de un rey, las de una religión, las del matrimonio, las de la ética, las de la monarquía, las de toda una nación. El poder de su seducción fue más fuerte que el poder de un rey, pues, aunque él la mandara decapitar a ella, él ya había perdido la cabeza por ella.

Afirmar (sentenciar) que "los hombres las prefieren brutas" es cosa de mujeres que lo son. Los hombres las prefieren bellas: bellas por fuera, bellas por dentro. Bellas por fuera y por dentro. Bellas por fuera o por dentro. Bellas, nada más. No olvidemos que siempre hay un Quijote para una Dulcinea. El amor no es ciego, no. El amor reconoce la verdadera belleza. Difícil de explicar la belleza. "Más difícil de explicar que la felicidad", citando a Simone de Beauvoir. Quizás, una moneda. Un patrimonio. Un gran poder que puede ayudarnos a salir adelante. Como todo poder, peligrosísimo si está en malas manos. Retomando la calle, el semáforo y a J-Lo con sus redondeces a flor de piel, la belleza va directo al talón de Aquiles de los hombres: esa hormona llamada testosterona. De lo que se trata es de exacerbar en ellos esa hormona que corre por su sangre, no solo para evitarnos las multas y adueñarnos de la calle, sino también para salir airosas de cualquier burrada cometida como diosas veneradas y venerables. Poner primera y reanudar nuestra aventura en pos de pequeñas y grandes cosas sobre el asfalto, en la carrera, en la cama, en la oficina, en la sociedad, en el hemiciclo del congreso, en el Palacio de Justicia, en el cuartito oscuro de un hostal, a través de los medios de comunicación. En la vida. La belleza es, entonces, un poder y no una característica. Un poder que se procura. Un poder al que una se aviene. Como la sabiduría.

Ese magnífico poder servirá a una para todo lo que una quiera que sirva. Está en cada una explotarlo y aprovecharlo. Usar el poder a discreción. Pues se va, se va y puede dejar un sublime recuerdo, una suculenta cuenta en el banco, una gran obra de bien social, un aporte a la Humanidad. O un perfecto desastre. Está en cada quien preservar la dignidad, la propia y ajena;

el respeto, el propio y el ajeno; y si ha de prostituirse, hacerlo a consciencia e informárselo a quien funge como cliente, pues nada peor que una mujer que pone su carne a la venta sin que el comprador lo advierta. Romper corazones nada tiene de bello. Ni de femenino.

Aprovechar la belleza con la que una vino al mundo nada tiene que ver con aprovecharse de los otros. Es aprovecharse una misma.

Claro que no debemos negar la realidad: existe la gracia y la desgracia, la bella y la inarreglable, y en el medio de esos dos polos, nosotras, quienes nos sacamos partido como podemos. Pero ten cuidado con la persecución de la belleza. Puedes perderte en el camino, y lograr el efecto contrario: asustar en vez de atraer.

Botox, ojox, potox

El cirujano miraba su corte. Con un hisopo largo empapado de yodo, limpiaba la herida. Roberto Carlos cantaba en portuñol. Yo solo aguantaba el dolor con dignidad (vanidad):

— ¿Te has enterado del escándalo en el Congreso? —pregunta el doctor.

— Sí, qué bárbaro, ¿no? Pegarle así a un colega…

— Ay, estos políticos, el país necesita hombres como los de antes (el doctor suspira y continúa). La inflación está aumentando.

— Sí (digo yo, mirando la inflación de mis pechos). Cada día más y más… ¿sigues jugando golf?

Yo no pensaba en el puñetazo que un congresista le propinó a otro en plena sesión. Menos aún en el alza de la gasolina o en la baja del dólar. Mi mente, mis ojos, mi alma, mis mamas, todo giraba en torno a la escena que vivía en el consultorio del cirujano plástico. Ahí estaba, en una salita rodeada de espejos y diplomas enmarcados en madera plástica dorada, con un *jean* apretadísimo, el par de botas vaqueras aún puestas, una cabellera rubia, larga, desgreñada, los pechos al descubierto, y Roberto Carlos en la radio. Faltaban las velas, algo con espumita en un par de copas, el otorongo tirado en el suelo. Pero no. Se trataba de un hombre que ni siquiera me miraba la cara. Tampoco el cuerpo. Menos aún los pechos. Solo miraba cada uno de mis pezones como quien mira dos verrugas, o un sapo abierto en la fría mesa de un laboratorio. Mientras curaba las heridas hechas por los cortes que había realizado unos días antes, a la hora de hacer la mamoplastía, me hablaba como quien le habla a un compañero en el campo de golf. A un *brother*.

De *brother* a *brother*, el cirujano dejó de ser el hombre y pasó a ser el curador del museo, el especialista en efectos especiales, el arquitecto, el ingeniero, el taxidermista, el contador de cuentos, el paleontólogo, el alquimista, el mago e ilusionista, el charlatán y poeta, el artista plástico y curador de muñecas, el Señor de los Milagros, el mismísimo Dios en San Borja. Amén. Y yo fui el puente, la fachada que se tumba, la tierra que se raja, la rana yerta sobre la mesa, una más para el *mailing*, la enferma, la vanidad hecha carne, la carne viva que se descuelga. Yo fui la momia que se luce fresca, la señora que paga y compra, la que elige el tamaño de sus gracias, la comisura de sus labios, la estrella a quien parecerse. La forma que tomará el milagro. El *brother* con tetas.

Y conforme se desenrrolla el rollo de vendas, las mujeres nos convertimos en muñecas, en almas seriadas, en *stock* de tienda. Las viejas lucen casi todas iguales: como travestis, como *drag queens* y, con el tiempo y la necedad de muchas de ellas, como moticucos, chuquis. Gajes del oficio. Patética. Y por ese camino, las no muy viejas, es decir, cuarentonas, cincuentonas, que se jalan, que se alzan, que se esconden, que se muestran, que miran demasiados folletos, que se reinventan en cuerpo y no en alma, que se aumentan las nalgas, los labios, que se anudan los músculos del abdomen, que se paralizan los de la cara, que sonríen como sonríe la piedra.

La presión por ser más bellas
puede volvernos horrendas.

Hay que saber cuándo parar, cuándo detenernos en la estresante carrera de la belleza que se compra. Pero nos la ponen difícil; vaya que nos la ponen difícil. Solo basta toparse con la publicidad que invade nuestro diario vivir y se marca en nuestras córneas como un hierro caliente: ellas pesan cuarenta kilos, ellas no tienen una sola mancha en la cara, ellas tienen el poto en su sitio, ellas huelen rico y saben rico, a ellas nada se les mueve salvo las tetas, nada les sobra salvo hombres, nada les falta solo ser nosotras, ellas tienen piel de seda, cabellera de seda, maneras de seda, ellas son tan perfectas que se nos hacen inalcanzables estrellas. ¿Podrías imaginarte a Giselle Bündchen en el *water*, con grandes bolsas debajo de los ojos, soltando un eructo? No, claro que no es fácil. Un consuelo puedo darte, que tras esa belleza perfecta hay una mano, no la de Dios por cierto, pero la de un especialista en retoque, retoque digital, aquel que ni siquiera un cirujano aspira lograr en una mujer: se llama *Photoshop*.

Ellos, los adorados tormentos

El eterno proveedor

Yo: ¿Qué se te hace más difícil?, ¿aliviar la pobreza de un país tercermundista o lidiar con una mujer?
Él: Pues, qué pregunta más evidente.

Hace no mucho, le hice esa pregunta a un amigo mío, reputado economista que está a punto de ganar un Nobel por sus fórmulas revolucionarias en torno al capital. Pero esa fue su respuesta. Hasta las mentes más lúcidas y brillantes sienten amenazadas y mermadas sus capacidades cuando de una mujer se trata (no por gusto la gran pregunta que se formuló Freud sigue sin respuesta: "¿Qué quiere una mujer?"). Lo mismo ocurre con nosotras, que seguimos sin entender qué pasa con ellos, por qué necesitan su espacio, por qué no nos hablan, por qué se aislan, por qué se quejan todo el tiempo de que se sienten abrumados.

Ellos pueden construir puentes (les es más difícil construir puentes con nosotras que unir Inglaterra y Francia debajo del mar); represas (pueden dirigir y encauzar las aguas del Iguazú, pero no pretendamos que atrapen una de nuestras lágrimas); ellos pueden diseñar naves y llevarlas al espacio (pero nunca podrán llegar a nuestros propios espacios siderales, multiorgásmicos y polidimensionales); levantar rascacielos (pero jamás subirse sobre un par de tacón aguja). No les pidamos que cosan un botón, que zurzan el huequito que alguna polilla traviesa osó cavar en una de sus chompas. Cuando no tienen nada que decir, callan. Cuando tienen algo que decir, también callan. La naturaleza les suministró hormonas que los hacen desarrollar musculatura. Por eso parecen el sexo fuerte. Pero no los pongamos a parir. Ni siquiera los expongamos a una gripe. Y si tienen fiebre, Dios nos guarde y socorra, porque gemirán de dolor como perritos al ser vacunados. Querrán a su mamá al lado, aunque ya vayan por los cincuenta. Y la madre serás tú. Porque siempre la madre eres tú. Aunque él te proteja (quizás hasta te mantenga), seguirás siendo tú quien lo cuide, quien lo eduque, quien lo lleve y sobrelleve. Quien lo torture si tienes pasta de tirana, quien lo haga triunfar en la vida y sucumbir a los vicios. Ellos serán obra y gracia de tu espíritu. Para ejemplo de todo, un botón:

Un intercambio de correos en los que una mujer terminó de seducir a un hombre. Un epistolario a través del cual el cortejo entre una mula (espécimen al que me referiré más adelante) se anima a levantarse de la tierra donde tercamente ha estado atornillado.

Él (autoproclamado como la *mula*) y ella (la diva) empezaron su romance a través de correos electrónicos. Cada uno se fue presentando y describiendo. Él le adelantó a ella sus defectos. Él siempre estaba analizando cada palabra que ella le ofrecía en sus interminables cartas. De hecho, ella se mostraba incontinente, aprensiva, tormentosa. Y eso a él lo asustaba. Hasta que ella cambió el tono de su comunicación: aligeró las palabras, le quitó seriedad a sus mensajes, y fue solo en ese momento cuando la *mula* arrancó a sonreír. Por ende, a querer conocerla. Reproduzco aquí fragmentos de este epistolario entre una mula y una diva:

ÉL: Acabo de regresar de empujar mis cosas para constatar que siguen igual. Aquí a veces el reloj es de arena; y de arena mojada. La gente no toma decisiones o se demora en tomarlas. Leo tus correos y veo que, chaparrón de por medio, la tormenta pasó. Bien por ello.

Carajo, no sé si es la frustración de mis cosas o qué, pero creo que me he vuelto a resfriar. ¿Sabes? Entre mis muchos defectos, uno de ellos es no soportar sentirme mal.

ELLA: ¡¡Jajaja!! Los hombres no saben estar enfermos ¡¡y tampoco sanos!! No han sido "diseñados" para sufrir males corporales, pues deben estar tooodo el tiempo cazando mamuts para alimentar y vestir (amén de calentar) a su(s) hembra(s) y a los críos del clan..., ¿¿puedes creer que yo hoy estoy cansadaza e igual me he ido a nadar y al gimnasio??

¿Sabes hacer caspiroleta?, es sencillo: azúcar al gusto, canela, aguardiente cristal colombiano (mmmm, me encanta) o pisco, mejor aún si es acholado (como tú, y como yo, claro), nuez moscada (yo le pongo bastante porque me fascina el aroma que tiene), un huevo (enterito pero sin cáscara...), y leche (muy caliente y descremada, para que no te engorde o mejor aún para que termines de adelgazar esos kilos que dices tener demás). Es no solo un alivio al resfrío que recién empieza, sino una pócima mágica que produce desahuevazón física y mental, y de paso, alerda la impotencia que generan los tiempos que se demoran en cuajar un proyecto, decir sí, y decir no. En fin, caspiroleta: un psicotrópico lácteo y dulce, un regreso al seno de la madre, a la lactancia sublime que todo ser que se siente mal debiera poder obtener.

Calma, gitanillo, practica el yoga, medita (yo no lo logro), respira hondo y métete en la cama con tu caspiroleta y una buena (o no tan buena) película pirata. Mañana será otro día, con mejor clima, laboral y natural.

Beso medicinal de buenas noches...

ÉL: Y eso que no te he contado de mi lamentable umbral del dolor. Pego de gritos solo con la receta para la inyección. ¡¡¡Valiente neardenthal que frente al mamut se porta como cuy!!!

Beso grande y mañana será lo que tenga que ser...

Hay un secreto a voces, un sigiloso juego de fuerzas que subyace a toda relación de pareja, pues si bien él se dejará cuidar y se dejará mandar, debe sentir que sigue siendo él quien cuida y manda. El proveedor. Proveedor de alimentos, proveedor de semen, proveedor de placer, proveedor de seguridad, proveedor de protección. Cuando sienten ser los proveedores, ya pueden autoproclamarse como "sacolargos" pues en el fondo creen que no lo son. Los hombres odian ser sacolargos y a la misma vez, adoran sentirse así. Es contradictorio, claro que sí, pero una pista que nos puede ayudar a salir de la contradicción puede ser la siguiente: las mujeres que destacan muchas veces están solas; no parecen necesitar de protección porque se muestran "demasiado independientes y mandonas". Eso a ellos simplemente los desanima. Es un juego, y más que un juego, una pantomima: ella juega a ser quien manda, él juega a ser quien obedece, ella manda, él obedece, o, mejor aún, ella sutilmente lleva las cosas hacia donde ella quiere llevarlas.

Aprendiendo
a la vez que amando

Hay hombres que son micromundos
otros, simplemente buenos ratos (o matarratos)
pocos son universos
(o un par de fotos que se quedaron flotando
en el disco duro de la computadora
y se nos pasó echar en la papelera de reciclaje).
Hay hombres que son gustos adquiridos,
como la aceituna
o el vino.
Con estos me quedo.

Con los hombres, como con la comida: a probarlos antes de decir que sí (y que no). No todas las comidas ni todos los hombres deben pasar por tu repertorio gastronómico y tu aparato gástrico. No se trata de probar o comer todo lo que te ponen por delante, pero al menos intenta con aquello que huele rico. Verás:

tener contacto con ellos ampliará tus horizontes. Al ser distintos de nosotras, traen a tu vida información a la que difícilmente podrías tener acceso: desde cómo preparar el mejor de los Manhattans si tienes alma de anfitriona, hasta cómo salir de ese terrible problema financiero en el que te has metido. Ellos podrán ayudarte a evaluar la compra del auto que mejor te conviene (porque imagino que no sabes qué diablos son los frenos ABS ni los seis cilindros) y, de paso, te harán conocer la cepa de uva del vino tinto que estás tomando (y del cual solo sabías que era tinto y que lo estabas tomando). Ellos pueden ser tremendos intelectuales que te acercarán a libros y/o autores que te abrirán nuevos horizontes, y flambean mejor que nosotras las *crêpes*. Descubrirás el *rock* de los setentas, sabrás de Fórmula Uno, de fútbol español, de lociones para la calvicie, de política exterior, de minería y Golden Retrievers. Incluso de neurocirugía, es decir, de cómo diablos funciona ese cerebro que intuyes tener. Por eso déjalos entrar por tu puerta. No se trata de llevártelos a todos los que huelen rico a la cama. No. Por el amor de Dios, no queremos ser promiscuas pero sí cultas y mundanas, experimentadas y politemáticas. Y queremos saber cómo dar placer; por eso, tener relaciones con algunos es una buena manera de conocer de artes amatorias. Y convertirte en una amante envidiable y envidiada, de esas a las que las demás mujeres miran y exclaman: "algo tendrá, pues, para que él se haya fijado en ella".

Recuerda que eres, en buena parte, consecuencia de aquello que aprendiste. Enamórate y desenamórate y enamórate de nuevo, de otro, del mismo, de dos a la vez, de ninguno, encapríchate, desea y desdícete, vive aprendiendo, que no cuesta, que no hay profesores ni exámenes de por medio, que puedes graduarte de todo sin estudiar nada, metida en la cama, viendo un partido, comiendo, libando. Úsalos. Están ahí para eso. Pero por favor, no hieras sentimientos. No destroces corazones.

Sé libre para sentirte plena.
No para sentirte perra.

Tampoco te lamentes por lo que has perdido.

Solía sentir un enorme vacío cuando rompía con uno de ellos (o mejor dicho, cuando uno de ellos rompía conmigo). Hasta que una muy buena amiga mía, que estudia metafísica y siempre tiene una frase profundona, me dijo una cosa que me hizo cambiar de actitud: no te lamentes por lo que has perdido. Regocíjate por lo que has vivido. A lo que yo agrego: si has vivido, más te vale haber aprendido. Si no, solo has malgastado tu tiempo, tu juventud, tu cuerpo, tu corazón y, sobre todo, tus ahorros (porque vaya que nos ponemos a engreírlos y terminamos pagando nosotras el mejor de los vinos). Hay algunos que te enseñarán cosas importantes, trascendentes, como por ejemplo tener paciencia, ser tolerante, no ponerte violenta ni andar propinando bofetadas. No es que ellos vayan a ser tus psicólogos o tus guías espirituales, no. Salvo Deepak Chopra, Cristo y Gandhi, amén de algunos especímenes que conozco, los hombres no sirven para dar consejos sabios. Ni siquiera para dar consejos. No. A veces parecen tan simples que pueden sacarnos de quicio. Ahí está el secreto: úsalos —además— como ese curso al que toda mujer debe ir: autocontrol. Pues si acostumbrabas a tirar la puerta, a repocharle todo, a llorarle angustias, a gritarle cosas horribles, aprenderás a aguantarte las ganas y actuar como una mujer serena.

Los hombres mueren por las mujeres serenas.
Parécete a una de ellas.

Me atrevo a decir que prefieren las serenas a las sirenas. Por algo se dice que "La suerte de la fea la bonita la desea". Es que ellas aprendieron desde niñas, ya que no perdían su tiempo mirándose al espejo, los miraron a ellos. Los estudiaron. Y luego, acapararon a los mejores ejemplares las muy cretinas. Es más, mientras más hombres tengas en tu vida, más sabrás. Mejor preparada quedarás para el definitivo. Anímate que cada ruptura con un hombre son créditos a tu favor. Y un curso nuevo. Para cuando llegue el definitivo, serás toda una maestra en las artes de la seducción, la enología, la música, la biología y la mecánica, la neurocirugía, la literatura, el sexo tántrico y los habanos. Y si no hay definitivo, si no llega, si no existe o si simplemente no estás para definitivos, habrás vivido lo que nadie.

Ten paciencia. No los eches así por la borda.
Conócelos. Degústalos. Aprende.

Ahora bien: evalúa, pues no hay peor cosa que perder tu tiempo y depositar tu energía productiva en algo (alguien) que no valga la pena. Así que, siempre y cuando tu tiempo no esté perdido y tu integridad garantizada, prueba. Prueba y aprueba. Prueba y desprueba. Pero prueba.

Receta del Manhattan a su manera (que ahora es la mia[*])

55 ml. de Jack Daniels (Bourbon)
15 ml. de Vermouth Martini Rosso
1 marraschino (no te comas las cerezas del frasco que engordan una barbaridad)
Hielo
2 gotas de amargo de angostura (que pondrás al final cuando ya hayas agitado el resto de ingredientes)

Poner todos los ingredientes en una coctelera.
Agitar bien y servir en copas de Martini.
Es importante que las copas hayan estado antes en el *freezer* para que estén bien frías, pues el Manhattan no se sirve con hielo, como tampoco el Martini.

---

[*]   Cuando pruebes este cóctel, piensa en mí, en él, y en los cócteles y hombres que vendrán para tí. Y para mí.

El hombre es agua; la mujer, tierra (e ingeniera hidráulica)

No creo que exista frase más emblemática que salga de boca de un hombre que esa que dice: "Necesito mi espacio". A las mujeres se nos paran los pelos de punta cuando escuchamos esas tres horribles palabras juntas. Generalmente significa que el hombre quiere partir, y no necesariamente por un espacio de tiempo. Simplemente quiere retornar a su espacio sideral. Es decir: largarse. Emprender la retirada. Irse muy lejos (a media cuadra, donde queda su casa). Y no entendemos qué hemos hecho para que se nos vaya así, sin más, cuando lo hemos amado con toda el alma. Quizás no entedemos que haberlo amado con toda el alma es haberlo amado a nuestra manera y que hace falta saber de ingeniería hidráulica para traerlo a tierra. A nuestra tierra, vale decir.

Pero ¿por qué el hombre necesita su espacio?, ¿por qué decimos, por qué pensamos que se le atrapa, si en realidad él es el cazador y nosotros las presas?, ¿por qué sentimos que, si asume un compromiso con nosotras, hemos ganado la lotería?, ¿por qué se siente "presionado" cuando esperamos algún compromiso, a veces insignificante como saber si nos llamará mañana nuevamente? (el temor de que no llame al día siguiente se percibe más como el veredicto de un juez).

Cuando pienso en el hombre y en la mujer pienso en agua, en tierra y en ingeniería hidráulica. El comportamiento del hombre para con la mujer, es el mismo del agua para con la tierra. Él corre, pasa, avanza, llega. Ella se está quieta recibiéndolo. Recogiéndolo. Él labra su cauce sobre ella. La riega. La fertiliza. Pero así como fertiliza esa tierra, corre, fluye, riega, fertiliza otra y otra y otra tierra (en otras palabras, va por ahí regándose, ergo, regalándose). Verdeando más de una ribera. Desviar el agua que corre salvaje sin rumbo, llevarla hasta reservorios, administrarla, controlarla, repartirla cuando el momento de sequía llega, es tarea de mujeres que se han capacitado en los refinados conocimientos de la ingeniería hidráulica. Una relación estable, armónica, donde el hombre ni siquiera pensará en espacios (los tendrá) en un campo de cultivo productivo.

En fin, creo que me estoy yendo por las ramas (algo muy propio de una mujer). Simplemente voy a hacer una prueba: dime (o dite a ti misma) si alguna de estas siguientes categorías te suena conocida cuando piensas en algún amor que haya pasado por tu vida. Verás que al menos una de estas siguientes opciones te hará recordar algo (o desafortunadamente, a alguien):

1. Abrumado.
2. Presionado.
3. Asfixiado.
4. Ajochado (esta me encanta, solo se utiliza en el Perú y la Real Academia de la Lengua Española la contempla en su diccionario. Significa "presionar", "perseguir", "asediar". Es decir, "amar").
5. Invadido.
6. Perseguido (esta es ya el acabose).

¿Por qué es más probable que el hombre se sienta más "presionado" que la mujer?

Cuando el hombre dice "necesito mi espacio" está siendo sincero; esa es su naturaleza. Desde tiempos inmemoriales, el hombre debía salir de las cavernas para buscar el alimento. Iba de paisaje en paisaje, de tierra en tierra, rondándolo todo, sin detenerse mucho en ningún lado fijo, siempre mirando hacia adelante; en tanto la mujer se quedaba adentro; todo era para adentro. Adentro de su cuerpo se formaba la vida, en el interior de la caverna se garantizaba esa vida. Ella era estable. Él, errante. Ella aguardaba. Él corría. Observemos nada más la anatomía femenina y la masculina: la mujer tiene una cavidad, la vagina. Es una cavidad tibia que ha de ser penetrada. No sale, no pasea, no vuela, se está quieta (e inquieta) en el mismo lugar, cobijada por paredes húmedas (que luego son eriazas).

El hombre, en cambio, tiene pene, un órgano extraterritorial, que crece, que corre (y se corre), que penetra, que tiene una forma convexa, que entra, que sale, que se va, que se escabulle si no quiere. Que vuela.

Cuando pienses en él, piensa en agua.
Todo fluirá.
Que no se te escape el agua entre los dedos.
Guarda agua para tiempos de sequía.
No permitas que se desborde.
Canalízala.

Ninguna mujer como Scherezade para ilustrarnos sobre la ciencia de la ingeniería hidráulica: mujer que no solo libró la muerte; se hizo reina, ganó un marido, le hizo hijos y fue madre, dicen que de tres niños; educó a ese su hombre en la moral y las buenas costumbres y fue capaz de quitarle el intenso odio que el hombre guardaba en su corazón hacia las mujeres, pues había sido previamente engañado por una. Lo mejor del caso es que Scherezade logró todo esto sin que él se diera cuenta siquiera. Lo fue llevando, llevando, y lo llevó, como el ingeniero lleva el agua hacia los sembradíos. Mil y una noches estuvo el sultán Schahriar dejándose seducir (y permitiendo que invadan el espacio más sagrado de un hombre rencoroso: su propio lecho) por los cuentos que ella contaba sin darles un final, prometiendo el final para la noche siguiente, pues Scherezade sabía que si terminaba su relato habría satisfecho la curiosidad de su Sultán; y él no tendría necesidad de tenerla al lado y la mandaría matar, como había hecho con todas las anteriores mujeres que había tenido. A aprender entonces de Scherezade y a aplicar las enseñanzas de esta sabia mujer mil y una noches de nuestras cortas vidas.

Es cierto eso que dicen:
el hombre va detrás de la mujer
hasta que la mujer lo caza.

El hombre ideal no existe.
Los hombres sí que existen.

Es todo un reto lograr el ají molido perfecto. Toma años de errores y aciertos, de experimentación y malos ratos, de picores gratuitos y tardes de sartén, licuadoras en movimiento y pensamientos atormentados. Pero la perfección se alcanza, y la búsqueda de ese sabor soñado culmina. Al fin hemos encontrado lo que buscábamos:

Ají molido* soñado

Ingredientes:

¾ kilo de ají amarillo

---

* El ají molido es un gran antidepresivo, pero ojo, es, como el hombre cuando es picante: adictivo.

1 cebolla blanca mediana (meterla en agua fría para no soltar lágrimas o, si se quiere llorar una pena de amor, pelarla y picarla a lo macho)

2 dientes de ajo

¼ litro de aceite de oliva (que no sea extravirgen, pues nada que sea tan virgen puede soltar aromas frondosos como los que procuramos)

1 cucharadita de azúcar (mejor rubia que blanca, por razones personales)

Sal al gusto (poquita si retienes líquido)

Una pizca de pimienta (de preferencia pimienta chapa, dulzona, picantona, como la mujer latina)

Preparación:

Lavar los ajíes amarillos, desvenarlos y despeparlos. Sofreírlos en la sartén hasta que estén bien suavecitos. Dejarlos enfriar y pelarlos. Dorar ajos y cebolla. Poner ajíes, ajos y cebolla a la licuadora con el aceite de oliva, la sal, la pimienta y el azúcar. Licuar hasta conseguir una crema espesa y sin grumos. Servir de acompañamiento o, si se quiere y se es capaz, comer del pote, con cuchara de sopa y mucha concha.

No pasa lo mismo con los hombres: ellos ya vienen preparados. No podemos mezclar los ingredientes a nuestro antojo; tenemos que aceptar ese puntito o pizca de algo que no nos termina de gustar, pues las demás opciones, simplemente, son menos atractivas a nuestro paladar. ¿Cuántas veces no te habrás lamentado que, de los cinco galanes que te acosan, puedas sacar un poco de uno de ellos con otro tantito de otro y una pizca del siguiente para lograr la combinación perfecta?

Quién sabe si en un futuro no muy lejano podamos programar al hombre que pensamos como perfecto (para cada una de nosotras, pues está claro que lo ideal para una es lo peor que le puede pasar a la otra). Por ahora, habrá que resignarse. Además, debe ser bien aburrido tener al lado al hombre perfecto, porque automáticamente nos quitaría nuestro *leit motiv*: joder.

Dejémonos de presunciones: No existe el hombre perfecto. Existen los adecuados y los inadecuados, y mientras esperamos que aparezca el más adecuado, deberíamos pasar ratos deliciosos con los inadecuados. Aquí, una breve y tímida relación de especímenes de nuestro bestiario masculino, tan humano como divino, tan tierno como peligroso:

El soltero maduro

Está lleno de manías, vicios e historias. Detesta que le ordenemos su desorden y le desordenemos su orden. Come lo que come cuando come, si come; y bebe lo que bebe sin mesura ni censura. Pobre de aquella que trate de cambiar alguna cosa en él, en sus paisajes cotidianos, en el estado de cosas a las que llama hogar (que no es más que una casa, corrijo, una foto de catálogo de decoración o, por el contrario, el caos propio de quien no tiene la menor idea ni la menor intención). Si decidimos semiinstalarnos en esos sus espacios domésticos, sufrirá un preinfarto o se sentirá urgido de lanzarse por la ventana. Va a su aire, con su pasaporte en un bolsillo y un cepillo de dientes en el otro. No sabe ser considerado con las dificultades domésticas y familiares, porque lo más cercano que tiene que cuidar de una vida que no sea la suya es una pecera con cositas doradas que se mueven, o un babeante y cariñoso pastor alemán que hace las veces de primogénito. No tiene ex mujer y ese es ya todo un punto a su favor. Pero tiene insomnio severo y a partir de las tres de la mañana es un zombi, un fantasma con *boxers* que deambula de la cama al baño. Y del baño al refrigerador. Es probable que sufra de apnea del sueño (si no sabes lo que es apnea del sueño te recomiendo entrar a: http://www.entornomedico.org/salud/saludy-enfermedades/alfa-omega/apnea.html). Si sufre este terrible mal, entonces no estarás durmiendo con un hombre, tendrás en el tálamo nada menos que a Darth Vader con guerra de galaxias y todo.

CÓMO TRATARLO: con este hay que ir con mucho cuidado. Pasito a paso, como cuando se negocia con un mono con metralleta. Generalmente carga con una desilusión amorosa (o varias) que lo hace ser cínico o, simplemente, lo ha convertido en ese funesto Darth Vader que es. Ganarse primero el cariño de su perro es estratégico. Si una tiene hijos y este no, presentarlos de a poquitos, primero dibujándolos en una pizarra y mostrando dónde queda la cabeza (y dónde los pies).

QUÉ TIENE DE BUENO: que no haya bruja previa es suficiente alivio como para no decir más a su favor.

EL MAN-COMUNADO

Este espécimen es uno de los más candelejones del bestiario viril. Tiene doce años de separación, pero no solamente no se ha divorciado; tiene una ex mujer que es esposa de dos: de él y del novio. Le sigue pagando las vacaciones de verano a ella, y, claro, al novio de ella. Carga con tal sentimiento de culpa por dentro (aunque ella le haya puesto no un cuerno, sino una lámpara sobre la cabeza), que desembolsa sin pedir mayores explicaciones, y no solo desembolsa: cuida a los cuatro niños cada vez que ella sale de fin de semana a Buenos Aires (con el galán) a comer un pedacito de bife con chimichurri y a comprar trapitos. El man-comunado no tiene bienes en su haber porque todo le pertenece a ambos, es decir, a la ex mujer y al afortunado novio de esta.

CÓMO TRATARLO: con este no se puede ir ni despacio ni seduciendo a la mascota. A este hay que ubicarlo radicalmente y sin rodeos: papel manda. A divorciarse de ella en la forma y en el fondo, y a poner los números y las condiciones en regla.

QUÉ TIENE DE BUENO: que es noble y cuidará de ti como ha cuidado (cuida) de ella (y del novio de ella).

EL RECIÉN SUELTO EN PLAZA

Ese es un misil *exocet* (dispara y olvida). ¿Su objetivo? Cualquier cosa que se mueva.

Quiere recuperar el tiempo perdido, por eso mismo, hoy ya fue y mañana no existe. A menudo se trata de un ex nerd venido a pipiléptico que contrajo matrimonio apenas salido del regazo de la madre; no tuvo calle y de pronto se ve suelto en una megalópolis. Las mujeres que conoció antes de su infortunado divorcio fueron las tías que venían a jugar canasta con la madre, la esposa que descansa en paz en los brazos de la nueva pareja y, por supuesto, la suegra, de la cual solo le queda uno de los tímpanos reventados y alguno que otro domingo de chifa. Por eso, este espécimen-misil va detrás de su miembro (u órgano) como si este fuera el buey y él, pues, él la yunta.

Cómo tratarlo: no tratarlo, tan solo utlizarlo como *sex machine* es una sugerencia sana. No pretender nada de él, salvo ser atacada por un misil. Es recomendable no mostrarse mucho en lugares públicos con un espécimen como este, pues irá al mismo lugar, a la misma hora y pedirá el mismo trago el mismo día, pero de la semana siguiente y, por supuesto, con otra mujer. No ponerse en el blanco siempre es una buena idea, pues una de las gracias del misil *exocet* es perseguir el objetivo aunque este se mueva. Tirar y aflojar. En todo el sentido de la palabra.

Qué tiene de bueno: hasta que no haga su luto matrimonial, se enganche y desenganche con mil mujeres, es decir, se ubique en la jungla que es la vida, nada.

El que aún no sabe por qué pie cojea

Este espécimen es de la familia de los hipocampos (deberás saber que así son llamados los caballitos de mar). Son bellos, pero no comprendemos bien qué demonios son. Es el macho quien lleva a las crías en su bolsa y, luego de las contracciones de rigor, las alumbra. Este espécimen (hablo del hombre que está bajo esta tipología) tiene generalmente el estrógeno alto, por eso se encarga de decorar su sala él solo; a la vez tiene la testosterona en su lugar y por eso es un amante irrefrenable. El problema es que puede ser tu amante, pero al mismo tiempo, puede ser amante de tu mejor amigo.

CÓMO TRATARLO: acompañarlo a escoger las telas de los sofás de su sala no es buena idea. Te comprarás una buena pelea (y cuando estos hombres se ponen a discutir, se ponen histéricas). No. No te metas en sus asuntos decorativos, no le elijas las corbatas, ten cuidado con decorar las mesas cuando recibe invitados en su casa. Ellos saben de esas cosas. Y ojo, tampoco hagas chistes sobre gays. Podrías herir sus sentimientos. Y cuidado: aléjalo de los hombres atractivos que dicen ser tus amigos. Podrías terminar tú siendo testigo de su matrimonio homosexual.

QUÉ TIENE DE BUENO: que sabrás más sobre decoración, que podrá acompañarte a hacer tu *shopping* de ropa y no estará afuera de las tiendas mirando su reloj con cara de mastín; estará contigo en el probador, ilusionado, porque te estás comprando aquel vestido que a él le encantaría poder ponerse.

El chiquillo entusiasta

Todavía no tiene la menor idea de que existe la *mochila* y que, a cierta edad, todos la cargamos. No tiene aún mayor cosa que ofrecer salvo su frescura, su bella apariencia, y una buena película de cine (aunque a menudo preferirá que compremos la película pirata para verla en nuestra casa, pues puede ser que no tenga dinero para ir al cine y que, incluso, viva con sus padres). Somos la puerta a la aventura. Nos mira hacia arriba, como si nos tratáramos de diosas. Pretende que le enseñemos todo lo que sabemos de la vida y de la cama. Pero él ¿qué enseña?

Cómo tratarlo: como algo pasajero.

Qué tiene de bueno: que es algo pasajero. No pienses que meterte con uno más joven te hará sentir joven. No. Te hará sentir madura, es decir, más vieja. Y si no sabes por qué lo digo, solo piensa en el momento en que él se desnuda (y tú también).

El viejo comprón

Siempre hay mujeres necesitadas que se les pegan como moscas a estos viejos que reemplazan su apariencia (y a veces, pero no siempre, su oferta sexual) por viajes, carros, departamentos, casas, en fin, dependiendo de la capacidad económica del pobre viejo rico, y de la audacia (y los escotes) de la mujer que lo exprime. La estabilidad económica que estos viejos comprones ofrecen es todo un atractivo para muchas mujeres que los necesitan. Bien por ellas. Y por qué no, por ellos.

Cómo tratarlo: no tratarlo. Siempre pedirá algo a cambio. A no ser que te guste cobrar por los servicios prestados, en cuyo caso deberás antes sacar tu *carnet* de sanidad en la municipalidad más cercana.

Qué tiene de bueno: su cuenta de banco.

El hijo

Pueden tener cincuenta, sesenta, veinticinco, pero hay que cuidarlo, porque por sí solo no se sabe cuidar. Cuando se enferma no sabe qué hacer con su cuerpo. Cuando se cura no sabe qué hacer con su cuerpo. Tiene mil proyectos de trabajo y se entusiasma con todos, pero no llega a realizar ninguno, desde ser un entusiasta astronauta hasta poseer un banco (solo para ser el dueño de las máquinas dispensadoras de dinero).

Cómo tratarlo: si ya eres madre, ya sabes cómo: solo cuéntale cuentos y échalo a dormir, no sin antes acariciarlo y decirle lo mucho que lo quieres. Si aún no eres madre, alégrate: no tienes que educarlo. Tan solo pídele a tu doctor que te recete un calmante para los nervios y ocúpate nada más de rascarle la espalda (y más abajo también).

Qué tiene de bueno: que entenderás mejor a los hombres cuando des a luz a uno. Que de alguna manera, te preparará para ser madre (aunque nada realmente te prepare para ejercer ese noble rol).

EL HIJO'E SU MARE

Una exótica combinación de hijo de su madre con *frutti de mare*, moluscos propio de las bajezas, es decir, de las profundidades donde el sol no ilumina y reina la turbia subrealidad. El submundo. Te hará daño adrede. Te hará sentir inferior, menos, fea, gorda; querrá que no te maquilles porque luces como un payaso, que no vistas colorinches porque te ves folclórica, que no te rías tan fuerte porque te oyes como tu mamá, manipulará tu autoestima hasta conseguir tu autorrepulsión.

CÓMO TRATARLO: como se trata al molusco cuando se va a acomodar en un plato: con pinzas.

QUÉ TIENE DE BUENO: que para levantarte debes caer, que para ser más fuerte debes haberte quebrado, que para ser feliz debes haber sufrido mucho, que para ganarte el cielo debes primero haber visitado el infierno. Que para saber qué tan alérgica eres a los mariscos, debes haber probado uno. Si te topas con un espécimen como este, tómalo como un hito en tu historia personal. Y luego deshazte de él.

EL MATALASCALLANDO

Este tiene una cara de ñoño que ni Dios podría saber lo que detrás se esconde: un monstruo de la lujuria, un amante inigualable, un ejército en un solo hombre, el poder hecho carne, un zorro envuelto en piel de *poodle*. Te hará sonrojar con sus palabras, te hará llegar hasta el cielo (y luego te bajará al mismísimo llano). No será romántico, pero sabrá de artes amatorias. Y esa habilidad que tiene en la cama la tendrá en el trabajo: ambicioso, sinuoso, audaz, perspicaz. Todo un ganador (sin que nadie se de cuenta).

CÓMO TRATARLO: no lo tratarás. Él te tratará y te destratará. Y tú serás su musa, su amante y, cuidado, su trapo de limpieza.

QUÉ TIENE DE BUENO: que puedes aprender, conocer de artimañas y estrategias. Que si llegas a ser su esposa y enviudas, puede ser que te topes con una cantidad de acciones que el hombre simplemente omitió decirte que tenía en su poder. Lo único malo es que, junto con la noticia de las acciones, llegará la sorpresa de su otra mujer (y de su otra familia).

EL MACHO ALFA

Este es un espécimen hacia el cual tengo sentimientos encontrados, pues suele darse cuenta de lo poderoso que es con solo mover un dedo. Las hembras lo persiguen para amarlo, atenderlo, dejarse seducir, conquistar (y preñar) por él. ¿Y él? El macho alfa lo es todo y lo puede todo. La naturaleza lo ha dotado de inteligencia, vigor sexual y, a veces (no siempre), atractivo físico. Es el líder de la manada, el hombre al cual todos los otros hombres admiran (y al cual todos los hombres se subordinan). Las mujeres, los gays, los heterosexuales, las mascotas, los niños, los *bartenders*, los vendedores de convertibles y los que venden seguros de vida se derriten por él. Pero como siempre pasa, siempre hay un *pero* (parece trabalenguas), y el pero de este es que sabe que está por encima de la manada. Es decir, más allá del bien y el mal.

Cómo tratarlo: cuidado de expresar, ni siquiera sugerir, un desacuerdo con el macho alfa. Él siempre tiene la razón, aunque no la tenga. Basta que se sienta amenazado para que te expulse de su territorio y manada. El macho alfa no se puede permitir ser desautorizado, porque en el liderazgo absoluto radica la sobrevivencia de su estirpe.

Qué tiene de bueno: que te sentirás como se sienten las lobas marinas: protegida, pues el macho alfa marca su territorio y defiende a sus hembras arriesgando incluso su propia vida. La mala noticia es que, en el reino animal, a las hembras no parece importarles compartir el mismo macho, pero nosotras, querida mía, hemos perdido la capacidad de compartir el mismo hombre.

La mula

Este espécimen es uno de los más interesantes dentro del amplio espectro del bestiario viril. Has de saber que la mula combina las mejores cualidades de sus progenitores: la paciencia, resistencia y paso seguro del asno, y el vigor, la fuerza y la nobleza del caballo. La mula es terca cuando se siente presionada. Es más: es terca por naturaleza, e inteligente, a pesar de la fama de bestia que tiene que llevar sobre su lomo. Cuando no quiere ir para adelante, simplemente se atornilla a la tierra y nada ni nadie la mueve. Representa todo un desafío para una, pues puede pasar de ser el testarudo y parametrado que no negocia con su modo de vida, sus creencias, caprichos, manías y prejuicios, hasta ser el más llevadero, tierno y complaciente de los perritos falderos.

CÓMO TRATARLO: dejarlo explayarse en su terquedad es un buen comienzo. Si quiere atornillarse en su sitio y no moverse de su verdad, pues a regalarle una buena sonrisa y no discutirle. Él solito se parará nuevamente sin que nadie lo arree. Si intentas forzar a una mula, solo conseguirás que se enmule más y más. La mula y la fuerza son enemigas. La mula y la persuasión, aliadas.

QUÉ TIENE DE BUENO: que así como es terco para disentir, es terco para consentir. Si se encapricha contigo, el capricho será amor. Y tú, su norte, su horizonte, su vida, su tierra.

EL QUE TIENE CIERTO LADO FEMENINO

Con este me quedo (si es que hubiera uno que no quiera usar mi *rimmel* y mis zapatos de tacón aguja). Es genial. Es detallista. Es sensible a las necesidades de las mujeres, nos llama muchas veces al día porque sabe que si no lo hace nos ponemos ansiosas, y nos celebra todo lo que nos ponemos encima, así sea un bosque de brócoli en la cabeza. Este hombre siempre estará dispuesto a verbalizar sus sentimientos y será capaz de hablar horas con nosotras de nada en particular o de todo lo más hondo. No necesita del bendito espacio que los demás tipos de hombre reclaman para sí (el único espacio que reclamará desesperadamente para sí es el que hay entre tus pechos y tu ombligo). Si bien es un cazador de mamuts, también es un cuidador del hogar, por eso, ayudará en las tareas domésticas y no tendrá reparos en limpiarle el pupú al bebé. Adorará a nuestra madre (su suegra), todas las viejas de nuestra familia morirán por él, y él, claro, cocinará para ellas y las alegrará hasta la embriaguez con cocteles dulces que él mismo preparará. Este hombre es el que aún no aparece en mi repertorio. Así de difícil es uno que haga caso a su estrógeno. Casi tan difícil como encontrar una cura contra el amor.

Cómo tratarlo: como a un jarrón de la dinastía Ming: como un tesoro.

Qué tiene de bueno: que no es un jarrón de la dinastía Ming, por lo tanto, podemos apaparrarlo con todas nuestras fuerzas; no se romperá.

El muñeco de torta

Tema aparte es este espécimen, que se depila las piernas, el pecho, los brazos y, oh, el vello que insiste en crecerle alrededor de las bolas que lo adornan. Sus cremas son más finas y caras que las de una, por ende, nos sentimos cortas de sacar las nuestras del neceser cuando pasamos una noche a su lado. Toma de todo y todo el tiempo: Xenical, Phase 2, Noni, Dietté con limón y Stévia, en fin, es un solo de detalles marcianos como el emplaste verdoso que se unta en la barriga antes de envolverse en una faja que vibra, cual tamal en pancas. Mira el fútbol en su plasma de cuarenta y dos pulgadas y recibe *e-mails* en su *Blackberry*. Generalmente chistes, de esos que algún ocioso espécimen de otra índole envía a todos sus contactos de Outlook Express. Y vaya que ríe. Bueno, lo poco que puede reír, pues se acaba de poner *botox* en las mejillas, en el entrecejo, en las comisuras de los labios y los párpados, y dentro de poco parecerá un muñeco de cera de sí mismo. Un muñeco de torta, de esos que se ponen al lado de la muñequita-novia luego de tres pisos de *chantilly* y pastelera. Se alisa las arrugas internas, los traumas y demás patologías con algo de Prozac y, claro, va al acupunturista a que lo pinchen para calmar el terrible apetito de *shopping* que lo tiene aturdido (porque vaya que nos ha robado la pasión por ese bastión nuestro). Se acomoda la hombría en un Calvin Klein demasiado angosto, como quien se decora para salir a lidiar un toro; es novelero, hedonista, generoso con él mismo, fatuo y, por eso mismo, poco o nada enigmático. Ávido de cosas, de cosas y cosas, hambriento de belleza, de esa belleza que se paga y se compra. El espejo es siempre su cómplice, su amante, pues al espejo siempre le sonrió con sus dientes recién blanqueados. Todo en su casa es minimal, la música que escucha es *lounge*, *chill*, electrónica, y cuando se quiere poner contracultural,

pone a Tongo y ensaya un par de pasitos tecnocum-
bieros. Ese es su baño de pueblo. Pero el muy pobre
niño rico no tiene la culpa de nada. Él es un fiel reflejo
de su tiempo, galán del capitalismo salvaje; a la misma
vez, un retorno a la primitiva condición del guerrero
idolatrado, a la del Sipán venerado, a la del Adonis, el
Ramsés, el Luis XVI. Todos ellos se adornaban como
se adornan los pavos reales, las aves fragata. Pero a diferencia de los pájaros, que se revisten de belleza para
llamar la atención de las hembras y realizar el cortejo,
estos hombres buscan seducirse a sí mismos. Cacique,
semidios, leyenda, guerrero, pájaro o no, este hombre
se delinea las cejas, se quita los pelos de la nariz, y se
los cuelga en la cabeza cuando le faltan, con una paciencia que hace perder la paciencia.

Ismael era así. Odié que él se demore más que yo
en el espejo por las mañanas. Y por las noches. Odié
compararme con él. "Para eso están las demás mujeres —me decía a mí misma—, para compararme con
ellas". Y ahora me pesa. Era lindo el cabrón. Tenía los
ojos color esmeralda y las pestañas rizadas y muy largas. Unas manos finas y siempre bien cuidadas. Cuando sonreía, hasta su perro, un pastor alemán grande y
torpe (ese sí que lucía bien macho) todo lo babeaba.
Creo que me hice las bolas que no tengo mirando lo
malo (todo eso que para él era lo bueno). Creo que
debí tenerlo a mi lado, quizá no para siempre, pero
para echarme sus cremas carísimas, sus champús de
fragancias exóticas; quizás debí conocer la alquimia
detrás de sus emplastes verdes, debí pedirle las recetas

de sus pócimas adelgazantes, robarle el dato de su nutricionista, quererlo todo y no pretender nada. Con el tiempo caí en cuenta de que Ismael me llevó a tal situación de crisis, sin quererlo seguro, que mi vida se ha separado en dos, como la historia con Cristo, y todo lo anterior a él forma parte de un antiguo testamento. Sin llaga, sin INRI. Sin cruz que cargar.

CÓMO TRATARLO: no te afanes engriéndolo. Él se engríe solo. No le pidas consejos, si no son de belleza, decoración, moda, y nutrición. Para lo demás, los demás.

QUÉ TIENE DE BUENO: que podrás aprender de él, interrogarlo acerca del cuidado del abdomen, de cómo alisar las arrugas, de corbatas, los párpados, las rodillas. Ellos todo lo saben.

EL HOMBRE PERFECTO

Este no tiene peros. Es el hombre que tu madre quiere para ti y que tú querrías para tu hija. Es estable emocionalmente, psicológicamente, económicamente. Pero el corazón simplemente no te late. No querrás besarlo, y esa es razón suficiente para desestimarlo. Te das de cabezazos contra la pared preguntándote: "¿Por qué no me gusta, si es perfecto?". Este hombre querrá conquistarte por las buenas, o por las buenas. Y mientras más lo desdeñes, más perfecto se volverá. Así es el corazón: tiene razones que la razón no entiende (en cuestiones de química, mejor preguntarle a un Nobel).

CÓMO TRATARLO: envuélvelo en papel de regalo y dáselo a tu mejor amiga.

QUÉ TIENE DE BUENO: ¿él?, todo.

¿Los hombres son llevados por el mal?

Sí y no. Digamos que son (y quieren ser) llevados. Que está en su naturaleza buscar quien los lleve. Somos su mal y somos su bien, somos su éxito, somos su fracaso. Somos el desarrollo de sus habilidades, somos la consolidación de su vida afectiva. Somos nosotras la reafirmación de su sed de poder, somos su poder. Somos nosotras lo que ellos serán. Definimos sus vidas, los acercamos o alejamos de sus padres y familias, moldeamos sus presentes, establecemos los lineamientos de sus futuros. Nos es fácil guiarlos, porque desde tiempos inmemoriales somos guías. Es curioso (y síntomático) que siempre seamos nosotras las que repetimos aquello de "Los hombres son llevados por el mal". Cuando escucho esa frase triste, pienso siempre que las mujeres que esto dicen llevaron por el mal a sus hombres o simplemente no los supieron llevar. La desafortunada experiencia amarga la imagen que la mujer tiene del hombre, y me atrevo a decir que de sí misma más que del hombre, porque quien afirma que al hombre por el mal se lleva es quien no sabe llevarlo de otra manera. Nunca por la fuerza, pues por la fuerza nada se construye. Por la fuerza a ningún hombre se le lleva. Ni hacia el bien, ni hacia el mal. Ni hacia la cama. El hombre será llevado, pero no deberá sentir que lo está siendo. He ahí el desafío. He ahí la magia.

Cuando escucho a un hombre burlarse de lo mal que maneja un auto una mujer, tan solo sonrío. ¿Para qué queremos aprender a manejar un auto si podemos manejarlos a ellos? Manejemos nosotras a los hombres. Que ellos se vanaglorien de lo bien que manejan los autos. Un auto podrá ser conducido por un hombre. Un hombre, por una mujer. Nosotras preferimos manejar seres humanos.

Remontándonos nuevamente a la época de las cavernas, ella era quien mantenía vivo el fuego en el hogar. Ella encarnaba la estabilidad, la certeza. El refugio o lugar seguro. Ella no solo conservaba la llama encendida. Ella era la llama. Ella era el calor del hogar. La fuerza magnética del fuego. Y él llegaba de la intemperie, luego de hostiles paisajes y días enteros de caza, en busca del regazo, de la lumbre, de la serenidad, de la certeza. Como el soldado, quien reposa luego de la batalla, así se sentía el cazador-proveedor entre las rugosas paredes de su caverna. Él era el desconcierto, la incertidumbre, la orfandad. Ella, la madre; la permanencia. La pertenencia.

Entonces, ¿puede ser la mujer más mala que el hombre?

Es cuestión de contraste. Confrontados, los rasgos que se oponen, se dramatizan. Así ocurre en el arte: si tenemos una superficie rugosa al lado de una tersa, ambas texturas se potencian. Se logra el mismo impacto en la ciencia, en la sociedad, y a través de los dogmas que la Iglesia nos ha impuesto; hemos heredado la imagen de la mujer virginal y del otro lado, la de la pecadora; la ternura, la fragilidad, la compasión, la abnegación, el sacrificio y la dulzura se ven encarnadas en la madre de Dios (quizás por eso el insulto a la madre es la forma más efectiva de ofender).

No es estrambótico suponer que mientras más lozana o virtuosa sea una mujer, más efectivo es el contraste a la hora de hacerla aparecer como malvada. Cuando Linda Blair, niña de mirada dulce, se transformó en el mismísimo demonio en la película *El exorcista*, el impacto fue inmediato: en la inocencia de la niña toda la maldad de la que es capaz un ser se plasmó de una manera efectiva y efectista sobre ese lecho de terror. Si hacemos el ejercicio de imaginar a un niño en el lugar de Linda, otra hubiera sido la historia de la película. Otro el impacto. Es que los hombres ya han mostrado, a lo largo de la historia de la Humanidad, qué tan malos pueden ser. A ellos ya se les ha otorgado la grandeza del mal desde mucho antes que Lucifer, el ángel portador de luz, cayera del cielo y se adueñara del mundo de la obscuridad. Por ello no existen los *homme fatale*, es decir, los "hombres fatales". Ellos ya lo han sido. Ya lo son. No se trata de dos categorías que se potencian como sí sucede en el caso de la mujer y la maldad. Es más, sobre esto último podría hasta atreverme a decir que la mujer no es más mala que el hombre pero sí ha tenido que contener y sigue conteniendo la maldad. Ella no ha protagonizado (aún) genocidios, dictaduras, guerras, holocaustos. Su maldad sigue siendo privilegio de pocas. Sigue estando fuera de lo público, en la esfera de lo privado. Su maldad se sigue expresando en el calor del hogar, en su rol de madre, pues la maldad no es masculina ni femenina. Es tan humana como el hambre. Y las madres pueden (podemos) ser muy malas. Los mexicanos tienen una expresión para las personas torcidas: "Qué poca madre tienes, güey"... Cierto. No todos ni todas tenemos mucha madre dentro de nosotros; es decir, no todos ni todas tenemos mucha bondad, mucha virtud, mucha honestidad. No todas hemos nacido para ser madres. Podemos ser malísimas. Horribles. Quizás me quedo con Eurípides, quien escribió que "no hay algo peor que una mala mujer, pero tampoco nada mejor que una buena". Cuánto amor y cuánto daño nos puede hacer una madre, pues ¿acaso toda mujer ha nacido con la capacidad de ser madre solo porque tiene la capacidad de traer al mundo a un nuevo ser? No. Solo miremos a nuestro alrededor. Mirémonos. Hagamos memoria. Psicoanalicémonos por un rato: andamos todos jodidos cuando pretendemos que nuestras madres son mujeres virtuosas solo porque son madres. Gracias, amigo Freud.

Es más, ¿no será que la maldad esa que, entre dientes la mujer deja salir, es amén de un mito, una revancha?, ¿no será esa maldad la secuela de un daño mayor?, ¿no será que aún nos duele la misoginia de la que fuimos víctimas por milenios? Qué mejor ejemplo que estas palabras nada sabias de nuestros antiguos sabios; sin duda, perlas de triste fulgor:

La mujer es un hombre inferior.

Aristóteles, Poética (323 a. de C.)

De aquellos que nacieron como hombres, todos los que fueron cobardes y malvados fueron transformados, en su segundo nacimiento, en mujeres.

Platón, Timeo (ca. 360 a. de C.)

Las niñas empiezan a hablar y a tenerse en pie antes que los chicos porque los hierbajos siempre crecen más deprisa que los buenos cultivos.

Martín Lutero, Conversaciones de sobremesa (1533)

Dime que no

Dime que no,
me tendrás pensando todo el día en ti,
planeando la estrategia para un sí.
Dime que no,
lánzame un sí camuflageado,
clávame una duda,
y me quedaré a tu lado.

Ricardo Arjona

Cursilindo, pero ha dado en el clavo. ¡Aj!, este Arjona. Nunca quise aceptar que hay que ponerle no solo mucho corazón, sino una buena dosis de cabeza a la relación de pareja, que el amor entre dos (o tres si es el caso) requiere estrategia, que en todo vínculo amoroso hay juego de poderes, que somos piezas sobre un inmenso tablero (a veces arremetidos en medio de un campo de batalla). Crecí pensando que, a la hora de amar, la espontaneidad soportaría lo demás y por ello había que abanderarla. Que ser franca hasta el desparpajo traería su recompensa. Que lo que yo sentía como verdadero en mí era suficientemente atesorable como para manifestarlo al otro sin tapujos ni vergüenzas. Que dar pasos así, sin más, llevada únicamente por el sentimiento apasionado (y a veces pueril), era lo que obligaba mi naturaleza vital. Que mi verdad me haría libre. Libre de la deshumanización colectiva, pero sobre todo, libre de la autocensura, desalentadora cuando lo que se anda buscando es alcanzar la plenitud.

Me animaba la idea de que el amor estaría más allá de todas esas tretas y artilugios que muchas mujeres religiosamente siguen como mandamientos y que tanto he tenido que escuchar a mi alrededor: *No lo llames, no lo llames tanto, no le contestes las llamadas, o de vez en cuando no le contestes para hacerte extrañar, no le demuestres tanto, no lo trates tan bien, sácale celos, hazte la interesante, hazte extrañar, haz como si no te importase, hazte necesaria, hazte imprescindible, hazte la que no sabes, hazte la que sabes, hazte la tonta, no te hagas la tonta, hazte, hazte, hazte.* Hacerse y no ser, hacerse y parecer antes que ser, suelen ser actitudes que estupidizan el imaginario femenino y socavan, peor aún, castran (si cabe el término), la naturaleza humana y mágica de toda mujer. Dichos de nuestra tradición oral como "Tira y afloja" o el eterno sonsonete que las viejas mujeres repiten y queda reverberando en nuestra conciencia como ecos de un antiguo llamado, como el tam tam de la tribu: "Date a deseo y olerás a poleo" son estribillos cansones que no tenemos por qué tener por ciertos; pero, por alguna razón (no tan misteriosa si rascamos apenas la superficie), se han mantenido en la tradición oral de nuestros sociedades y forman parte de nuestra idiosincracia. Algo enseñan estos "llamados a la conciencia".

Pero cuidado: establezcamos la sutil y significativa diferencia entre la artimaña y la estrategia. La primera nace y muere en el lugar común. No precisa mayores artes y es inmediatista, porque su objetivo lo es. En la segunda se manifiesta el poder de la inteligencia. La demanda, porque sin ella el camino se trunca: Atrapar o conservar. Poseer o tener. Desear o amar. No hagamos caso de las voces que ofrecen formas pequeñas. Prestemos atención a nuestro sentido común, y si nos susurra que debemos ser espontáneas, seámoslo. Seamos lo que somos. Y lo que podemos ser. Anhelemos la humanidad, que tiene de instante y tiene de trascendencia. Que tiene de prudencia e incontinencia. Animémonos a jugar el juego serio del amor.

Y al jugar ese juego tengo que empezar a aceptar que, en toda relación, el "tira y afloja" que tanto he desdeñado es la fórmula mágica. Estará en cada una entender cuánto "tirar" y cuánto "aflojar" con su pareja (y con ellas mismas), pues lo que para unos es tensión, para los otros es remanso.

Una gran pregunta queda en el aire: ¿cómo ser la reina sobre el damero cuando se es volcán? No nos pidan ser las impertérritas piezas de un juego cuando de lo que se trata es de andar a nuestro aire, sin corona en nuestras cabezas ni dameros bajo nuestros pies.

No queremos darnos a deseo. Preferimos sucumbir a la pasión, a las ganas que nos exaltan. A la vida. ¿No se supone que de eso se trata?, ¿de sentirnos cómodas con los hombres siendo como somos: salvajes, apasionadas, desmedidas si queremos, románticas hasta la médula, niñas, torpes, volcánicas, incontinentes, arrechas y engreídas? Pues sí. Y no. Tanta espontaneidad no siempre es seductora. El hombre no quiere ser tan venerado, ni tenerlo todo. Prefiere la incertidumbre de una mirada de soslayo, la media palabra, el "sí" que no termina de ser pronunciado. El cazador quiere experimentar suspenso cuando anda al acecho de su presa, de cuclillas y sin soltar siquiera el respiro.

Hagamos un distingo entre el cortejo de la seducción y el vínculo amoroso. Aquí estoy pretendiendo referirme al segundo, el cual tiene mucho más de desafío que el primero, pues atrapar —dejarse atrapar— por el otro, no es tan difícil como mantenerlo —mantenerse— preso. Esa es la tarea árdua que exige de nosotras ejercitar esa masa muscular que tenemos dentro del cráneo: el cerebro. Más allá de las habilidades histriónicas que demanda la seducción inicial, el encantamiento tiene que ver con la inteligencia, y dentro de la inteligencia, todas aquellas inteligencias que han sido tipificadas, desde la emocional hasta la matemática.

Cordelia, personaje de *Diario de un seductor*, obra de Kierkegaard, puede ilustrarnos sobre el tema. El personaje de esta historia, llamado Johannes, se encandila con la gracia y el candor de esta mujer y eso lo obliga a poner en marcha un plan para conquistarla. Pero una vez que Johannes consigue la entrega de Cordelia, el interés se pierde:

Ahora, ya ha pasado todo; no deseo volverla a ver nunca más... Una mujer es un ser débil; cuando se ha dado totalmente lo ha perdido todo: si la inocencia es algo negativo en el hombre, en la mujer es la esencia vital... Ya nada tiene que negarme. El amor es hermoso, solo mientras duran el contraste y el deseo; después, todo es debilidad y costumbre. Ni siquiera deseo despedirme; me fastidian las lágrimas, y las súplicas de las mujeres, me revuelven el alma sin necesidad.

La presa es deseada mientras no se consiga atraparla. La ausencia acrecenta ese deseo. Neruda, uno de los más grandes poetas de habla hispana, tiene entre sus *Veinte poemas de amor y una canción desesperada*, uno donde se plasma el impacto que genera la ausencia de la amada y que lleva al poeta a idealizar a su musa; a permanecer seducido, acaso enamorado, de esta imagen lejana y melancólica a la que "su voz no alcanza". Aquí fragmentos del poema número 15:

*Me gustas cuando callas porque
estás como ausente,
y me oyes desde lejos, y mi voz no te toca.
Parece que los ojos se te hubieran volado
y parece que un beso te cerrara la boca. (...)*

*Me gustas cuando callas porque estás como ausente.
Distante y dolorosa como si hubieras muerto.*

Una palabra entonces, una sonrisa bastan.
Y estoy alegre, alegre de que no sea cierto.

Sí. No. Ni. So.

Sino. Nosi. Quizás. No sé. Sí sé pero no sé.
Solo sé que nada sé. Solo sé que todo sé.

Las mujeres decimos que sí, cuando queremos decir que no; y decimos que no cuando queremos decir que sí, y cuando nos morimos de ganas simplemente nos ponemos nerviosas y decimos estupideces. Los hombres simplemente no dicen. Y cuando dicen, anda preparando tu ajuar. Por eso hay que ser claras con ellos como si habláramos con niños: decir sí, cuando queremos decir sí es un primer paso; igual que decir no, cuando queremos decir no. Si esperamos a que nuestro galán nos descifre, podemos esperar sentadas; es como esperar a que por fin lleguen los benditos extraterrestres. Muy a menudo nos ponemos tan necias que decimos lo contrario a lo que queremos decir y soltamos un *no vengas* cuando queremos decirle *apúrate*, y decimos *no te quiero volver a ver* cuando en realidad queremos decirle *muero por verte*. Incluso somos capaces de soltarles un *no me pasa nada* cuando dentro de nosotras pasa de todo. Y llamamos a nuestras amigas para hablar de lo sucedido cuando en verdad nada ha sucedido.

> *Así somos las mujeres:*
> *víctimas de la verborragia menstrual.*
> *Pero también somos víctimas de aniñamiento.*
> *Heredamos una sobreprotección que nos ha permitido*
> *sentirnos con el derecho de ser caprichosas.*

Sobre todo cuando escribimos (un *sms*, un *e-mail*, una carta, un mensaje en el *chat*) las palabras y sus signos lo son todo. Expresan nuestro estado de ánimo y sugieren cosas, es decir, podemos dar a entender pequeños detalles (como por ejemplo: *ya es hora de que me lleves a la cama*) sin necesidad de decirlo del todo (porque ser tan directas no es lo más recomendable). La seducción verbal es como la visual: no se dice todo, no se muestra todo. Ahí están los conocimientos de ingeniería hidráulica de los que escribo en la primera parte del libro. Aplícalos.

EN VEZ DE DECIRLE:

Quiero agarrarte urgente

PUEDES DECIRLE:

Muero por abrazarte

Y MEJOR AÚN SI LE DICES:

Cómo quisiera que me abraces

La palabra "urgente" no es propia de una mujer. Las urgencias son para los hombres y sus necesidades fisiológicas (es decir, medir el aceite). Nosotras somos más elevadas (aunque tengamos realmente las mismas necesidades animales que ellos, ellos no tienen por qué tenerlo tan claro). No nos urge. La sutileza es femenina. Ensáyala.

Los puntos suspensivos son importantes cuando una escribe a un hombre. Igual las mayúsculas, si es que queremos acentuar alguna cosa:

Quiero verte

no se lee (no suena) igual a

Quiero verte...

Si además ponemos todo en mayúsculas cuando hemos estado escribiendo en minúsculas, entonces el efecto es abrumador:

QUIERO VERTE...

Si reemplazamos los puntos suspensivos por signos de admiración, el efecto es otro, más alegre, menos sesgado a lo sensual, más amiguero:

QUIERO VERTE!!!!!!!

A una amiga podremos escribirle esto, pero a una amiga no podremos ponerle puntos suspensivos porque pensará que nos fuimos al otro bando.

Hace poco, escribiendo un mensaje cariñosísimo por teléfono (un *sms*) me equivoqué y se lo mandé a un buen amigo. El mensaje era el siguiente:

No sabes las ganas que tengo de verte...

Si yo hubiera puesto los signos de admiración en ese breve y sugerente mensaje, otra hubiera sido la reacción de este buen amigo, quien quedó consternado (y entusiasmado) por un buen tiempo, hasta que tuve que confesarle que me había equivocado de destinatario. Para su desilusión (y mi alivio).

Si vamos a usar veinte mil palabras al día,
de todas maneras dos estupideces vamos a soltar.

Diálogos
entre el estrógeno
y la testosterona

Ustedes, sus alegrías,
sus tristezas,
sus recuerdos, sus ambiciones,
su sentido de identidad, de libertad y el amor
no son más que la conducta
de un vasto haz de células nerviosas.

Francis Crick (científico inglés, Premio Nobel
de Medicina por descifrar el código ADN en 1962)

¿A cazar mamuts?

Quizás asumiendo que somos hormonales,
dejemos de serlo.

Un vasto haz de células nerviosas. Crick lo dijo bien, aunque hay nostalgias, tristezas y amores que nada tienen que ver con nuestros vastos haces de células nerviosas. Cosas del alma, por situarlas en alguna dimensión y separarlas del cuerpo. Sí hay hormonas y hormonas, que condicionan nuestras actitudes, que moldean nuestro temperamento. Que a menudo producen la ilusión y el espejismo al que llamamos sentimiento. La progesterona, por ejemplo, hace que sintamos el deseo de ser madres, de amamantar y cuidar de nuestros cachorros. Un estudio reveló que cuando una mujer, en edad fértil, tiene cerca un bebé desprende esta hormona. Y pasa también que si tiene enfrente un tierno osito de peluche, la progesterona actúa en ella y siente el mismo instinto maternal. Cosa que no pasa con la mayoría de hombres, quienes carecen de esta hormona y por eso mismo verán en ese osito solo un trapo relleno y regordete. No por gusto las tiendas de rosas ofrecen a sus clientes rechonchos ositos de peluche con frases como *I Love You*, *Be Mine*, *Forever Yours*. Y por eso también, mujeres con fuerte instinto maternal se buscarán hombres rellenitos y tremendamente apachurrables. Y si se los eligen flacos y desgarbados, igual recibirán sobrenombres como "mi gordo", "mi gordis" y, en casos extremos, "mi chanchis".

El estrógeno es la hormona femenina que hace que seamos voluptuosas mujeres. Que nos crezcan los pechos, las caderas, que nos sintamos como unos bombones proveedores de placer y que a la vez queramos realizarnos, es decir, que podamos ser al mismo tiempo mujeres coquetas y competitivas, *geishas* y alfas. Tanto efecto calmante tiene el estrógeno en el cuerpo humano que suele suministrarse esta hormona a hombres agresivos en prisión para apaciguar su conducta violenta. Trato de imaginarme a un reo de alta peligrosidad que, repentinamente, tiene ganas de usar el *crochet*. Pero la testosterona, que es una hormona masculina, nos da otro tipo de agresividad. La agresividad del cazador que compite por el mamut. Dentro de un mundo que se nos abre a las mujeres como un gran abanico de posibilidades (no un coto sino una sabana entera para la caza), lo queremos todo y lo hacemos todo. Y por eso también vivimos nerviosas e insatisfechas, pues nos alejamos de nuestra naturaleza de cuidadoras del hogar para ser cazadoras de mamuts. Hay mujeres que van detrás de las presas en los negocios, en la banca, en el mundo empresarial, en la política; los hombres suelen alejarse de ellas: parecen no necesitarlos. Y ellos, genéticamente, están diseñados para ser necesitados, para encarnar el papel de proveedores. Ellos siguen siendo los cazadores de mamuts. Y no está en su naturaleza dejar de serlo (bueno, hay una nueva generación de gastones, como les conté anteriormente).

A diferencia del estrógeno y de la progesterona, la testosterona perturba a las mujeres, nos saca del lugar donde nos hemos sentido siempre cómodas. Por un tiempo las feministas nos hicieron creer que no debíamos mover las caderas al caminar, pero esa es ya historia. Les voy a ilustrar lo que produce la testosterona con el siguiente ejemplo: para que una mujer le ponga los cuernos a su pareja, el amante debe susurrarle al oído, ser aquel que la comprende, que la cuida, que la acoge. Para que un hombre le ponga los cuernos a su pareja, solo debe encontrar otra mujer. Cuando una mujer puede ponerle cuernos a su pareja con cualquier hombre con tal que sea un "cuero", significa que ella tiene elevados niveles de testosterona. No le harán falta rosas ni susurros al oído. Ni siquiera una cama. Solo el cuerpo masculino. La carne. El miembro.

Ojo que tanto hombres como mujeres debemos aprender a usar ambas hormonas, pues por la sangre del hombre corre estrógeno y, cuando tiene alto nivel de esta hormona, decimos que tiene "cierto lado femenino", pues es dado a dialogar, es detallista, es a quien las mujeres adoran, quien tiene "jale" aunque feo como él solo.

El mundo de hoy obliga a la mujer a ponerse en contacto con su lado femenino y a apaciguar ese lado masculino que se nos exhortó por décadas a desarrollar. Y al hombre, el mundo obliga a amistarse con su lado femenino. En esta realidad transformada, nueva, seremos mucho más sabios y más felices si cultivamos y trabajamos cada uno su otro lado. De esta manera podremos relacionarnos. Quién sabe y empecemos a abrir nuestros corazones en vez de tirarnos los platos por la cabeza.

La mujer debe aprender a manejar su testosterona
así como el hombre debe aprender
a no temer su estrógeno.

Hormonómetro

Las palabras, sí, esas que utilizamos las mujeres en mucho mayor proporción que los hombres, son depositarias de nuestras diferencias. Ellas encarnan las distancias entre el eterno masculino y el eterno femenino y son las protagonistas de los malentendidos. Terminan abriendo una profunda brecha entre ambos sexos (si es que no tenemos la capacidad de conocer y comprender nuestras diferencias, por eso mismo, celebrarlas).

Está claro que el hombre no es lo elocuente que es la mujer. Incluso los grandes escritores y poetas como Walt Whitman, William Shakespeare y Rainer Maria Rilke, deben de haber tenido dificultades a la hora de decirle alguna cosa a una mujer de carne y hueso. No me imagino a Shakespeare debajo de un balcón declarando su amor eterno a su Julieta. En casa de herrero, cuchillo de palo, versa un dicho popular.

Entre las cosas (y horrores) que él y ella se dicen, hay una serie de grados o niveles de testosterona y estrógeno. Existen los que tienen mucho y poco en ambos bandos, pero en el medio hay toda una gama deliciosa de seres, sentires y decires. Aquí, una suerte de hormonómetro:

MUCHA TESTOSTERONA EN ÉL	MUCHO ESTRÓGENO EN ELLA
ÉL DICE	**ELLA DICE**
mi fierro	mi chanchis
mi lomo	mi rey
mi hembra	mi príncipe
mi embrague	mi gordo

NIVEL NORMAL DE TESTOSTERONA EN ÉL	NIVEL NORMAL DE ESTRÓGENO EN ELLA
ÉL DICE	**ELLA DICE**
mi cuero	mi enamorado
mi agarre	mi novio
mi pescadito	mi galán

ASOMO DE ESTRÓGENO EN ÉL	NIVEL ALTO DE TESTOSTERONA EN ELLA
ÉL DICE	**ELLA DICE**
mi flaca	mi levante
mi china	mi pata
oye	mi gil
oe	mi prospecto

CUANDO LE HACE CASO A SU ESTRÓGENO	CUANDO NO PUEDE LIDIAR CON SU TESTOSTERONA
ÉL DICE	**ELLA DICE**
mi reina	mi machete
mi diosa	mi cuero
mi princesa	mi machucafuerte
mi amor	mi *brother*

Y CUANDO HAY RESIGNACIÓN EN AMBOS...

ÉL DICE	**ELLA DICE**
mi bruja	mi peor es nada

Es curioso: las mujeres nunca decimos "mi hombre", pero los hombres sí dicen "mi mujer". Las mujeres nunca decimos "mi chico", pero ellos sí dicen "mi chica". Las mujeres nunca decimos "mi flaco", pero sí "mi gordo", mientras que los hombres se pasan la vida "flaqueándonos" y solamente nos dicen "mi gorda" cuando pasan dos cosas: o se desviven por una, o es una forma nada sutil de avisarnos que estamos realmente entradas en carnes.

Del amor al odio en nueve llamadas

ELLA LO LLAMA:

¿Aló?, hola, mi amor, ¿te interrumpo?

LA PRIMERA VEZ, ÉL LE DICE:

Ay, ¿cómo crees?, si no dejo de pensar en lo de anoche...

LOS PRIMEROS TIEMPOS, ÉL CONTESTA:

No, cómo se te ocurre, mi reina.

DESPUÉS DE UN TIEMPITO, ÉL LE CONTESTA:

No, tú nunca interrumpes, princesa.

PASADOS UNOS MESES, ÉL DICE:

No, no te preocupes, cuéntame.

PASADOS UNOS BUENOS MESES, ÉL SUGIERE:

Bueno, un poquito, pero dime, mi amor.

PASADOS UNOS AÑOS, ÉL LADRA:

No, no, dime, ¿qué pasa?

PASADOS UNOS BUENOS AÑOS, ÉL GRUÑE:

Bueno, sí, ¿qué quieres?

LUEGO DE LAS DECEPCIONES DE RIGOR, ÉL RUGE:

Sí, sí, todo el tiempo me interrumpes, ¿qué quieres?

CUANDO YA NO SE SORPOTAN Y ELLA PASA DE REINA A BRUJA, ÉL SIMPLEMENTE LA DEJA IR:

Ya te he dicho que cualquier cosa que quieras decirme, llames a mi abogado y me dejes en paz...

Qué ve el hombre, qué la mujer

La ciencia ha determinado que el campo visual del hombre es muy distinto al de la mujer. Diferencias que se generaron desde tiempos inmemoriales, cuando él debía usar cien ojos para no ser atacado por un tigre dientes de sable y ella, pues, ella debía mirar más lejos aún; es decir, dentro de los corazones de los suyos.

ELLA VE:

- Las emociones en los rostros de los demás
- El pelo largo y rubio en la camisa blanca del marido
- La fealdad en las mujeres bellas y/o esbeltas
- El control remoto debajo de las miles de cosas que el marido ha revuelto en la habitación

- El verde que no es verde pues tiene un poco de azul y bastante de negro en el zapato que debe combinar
- La mentira
- La verdad
- La infidelidad donde no la hay
- El drama donde lo hay
- El drama donde no lo hay
- El buen uso y/o provecho a las cosas aparentemente inútiles que desea comprar
- Las carteras de marca falsificadas
- Colores, tonalidades, matices
- Las ofertas del día en el supermercado

ÉL VE:

- Mapas
- Curvas (es decir, traseros, pechos, caderas, circuitos de Fórmula Uno)
- Las emociones de su perro
- Definitivamente, no ve en colores (salvo cuando se trata del color del carro que se quiere comprar)
- Pero sobre todo, él ve por los ojos de ella

¿Teléfono malogrado?

Está claro que el uso del aparato telefónico es fatal, más para la mujer que para el hombre, pues ella, en su incontinencia verbal, sobrecarga la línea telefónica y sobre todo, al pobre interlocutor:

ELLA: Hola, mi rey.

ÉL: Hola, flaca.

ELLA: ¿Cómo estás, mi amor? ¿Me extrañas?

ÉL: Estoy jugando póker con mis patas.

ELLA: Pero ¿me extrañas?

ÉL: Claro.

ELLA: Estás raro, ¿qué tienes?

ÉL: Nada, flaca, estoy con mis patas.

ELLA: ¿Ves? Algo tienes.

ÉL: Sí, tengo patas.

ELLA: Ya no me quieres, eso es lo que pasa.

ÉL: Cuando termine, te llamo.

ELLA: No, ya no me llames, no te preocupes.

ÉL: Ok.

ELLA: Chau.

ÉL: Chau.

ELLA: ¿Ves? Ni siquiera te importa lo que siento.

ÉL: Ya, ya, yo te llamo después, reina, ¿ok?

(Ella le cuelga el teléfono)
Y nuevamente timbra: Riiiiing, riiing

ÉL: ¿Aló? Estoy jugando, ya pues, yo salgo y te llamo.

ELLA: No, nunca más me llames, no quiero volver a saber nada de ti.

(Ella le cuelga el teléfono de nuevo)
(Él bebe un sorbo de whisky y sigue jugando sus cartas)

Piqueítos

ELLA: No sabes cómo te extraño.
ÉL: Ya, ya... ya se te pasará.

ELLA: Ay, amor, ¿no será que solo quieres mi cuerpo?
ÉL: No sé, reina, otro día lo hablamos, ahora solo desvístete, ¿sí?

ÉL: Qué linda te ves así, sin arreglarte, sin maquillaje...
ELLA: ¿Qué estás tratando de decir, ah?, ¿qué soy una desarreglada?

ELLA: ¿Quién te has creído que eres para decirme qué puedo comprar y qué no?
ÉL: El hombre que paga tus tarjetas de crédito.

ÉL: La he pasado tan bien contigo hoy…

ELLA: ¿Qué?, ¿eso quiere decir que ayer no la pasaste
        bien conmigo?

ÉL: Qué guapa y divertida es tu prima.

ELLA: ¿Ah, sí? Entonces ¿por qué no te vas con ella y
        me dejas tranquila?

Te entrego mi vida
(te entrego mis huevos)

No creo que amar traiga forzosamente indigencia. No creo que tenga que ver con caer rendidos a los pies del otro. Puede ser que decidamos ponernos de rodillas y ofrecer lo mejor de nosotros a quien amamos. No sé qué tanto tiene que ver el hallazgo del ser amado con loterías. Creo que lo único que cae del cielo es el agüita de lluvia, uno que otro avión, la muerte, y el cachito ganador de la lotería. Puede ser que la persona que amamos nos haya llegado repentinamente. Pero de ahí en adelante el camino lo hace uno mismo. Y tiene que ver con ganas, voluntad, y mucho conocimiento en temas de ingeniería vial e hidráulica.

El amor exige grandeza interior. Inteligencia. Madurez. Y una dosis enorme de paciencia. Es un arte, una destreza. Y un fervor que puede llegar a ser religioso. Nunca un instinto. Ortega y Gasset tiene una acertada visión del amor que quiero compartir porque creo firmemente en ella, como creo en la voluntad como una actitud esencial para la construcción de un destino:

> *El amor es un hecho poco frecuente y un sentimiento que solo ciertas almas pueden llegar a sentir; en rigor, un talento específico que algunos seres poseen (…) Sí, enamorarse es un talento maravilloso que algunas criaturas poseen, como el don de hacer versos, como el espíritu de sacrificio, como la inspiración melódica, como la valentía personal, como el saber mandar (…) Muy pocos pueden ser amantes y muy pocos amados.*

Por eso es tan poco frecuente amar y tan común desear. Cuando uno ama, desea lo mejor al otro. Cuando uno desea, simplemente desea al otro. A pesar del otro. Por encima del otro. La pasión es posesión. El amor, desprendimiento. No debemos pensar que recibiremos por lo que damos. No estamos invirtiendo cuando estamos amando. Tan solo, o sobre todo, estamos amando.

El amor es entrega. Es centrífugo: se aleja de uno para desbordarse en el otro. La pasión es una fuerza centrípeta: recibe. Concentra. Todo se moviliza hacia el centro, todo es atraído hacia él. No somos víctimas del amor. El amor no victimiza. El amor construye. Quizás somos víctimas de la pasión. Solemos confundir el enamoramiento con una sensación pueril que tiene que ver con el encaprichamiento. Cupido es un perfecto ejemplo de la idea errónea que tenemos del amor de pareja (o de lo que deberíamos sentir como amor): siempre es retratado como un niño, regordetón y antojadizo, el niño alado, el ángel de los ojos vendados, que tiempla su arco y dispara, dispara sus flechas sin siquiera dirigirlas.

Hombres y mujeres vivimos sumidos en la esfera de nuestros propios intereses, rindiéndole culto a nuestra indivualidad. Pocos somos capaces de viajar más allá de nosotros mismos, salirnos de esa suerte de normalidad que rige y asegura nuestras pequeñas existencias. Que nos entumece y a menudo paraliza. La intensidad que se experimenta en el amor tiene que ver con el afán de abandonar lo conocido en busca de nuevos horizontes: "Esta curiosidad, que es, a la par, ansia de vida, no puede darse más que en almas porosas donde circule el aire libre, no confinado por ningún muro de limitación, el aire cósmico cargado con polvo de estrellas remotas", escribe Ortega y Gasset.

En mi experiencia de vida, ninguna declaración de amor ha sido tan elocuente como la que —para mi sorpresa— protagonizó un galán al decirme lo siguiente:

Te entrego mis huevos. Haz con ellos lo que quieras. Apriétalos, apriétalos todo lo que te provoque apretarlos. Ya no son míos. Te pertenecen. Te los has ganado. Son tuyos. Yo soy tuyo.

Sus palabras fueron fuertes, valientes y honestas. Había sucumbido porque había decidido sucumbir. El amor no lo agarró de sorpresa. Él decidió ser tomado. Había encontrado a quién entregar su integridad. Su vida. En esos huevos que ofrecía estaban latentes su hombría, su dignidad, sus esperanzas, sus alegrías, su vergüenza. Su nombre. Y sus hijos. De una manera muy gráfica y directa, el hombre verbalizó lo que los hombres sienten cuando caen rendidos ante las mujeres: pierden el control sobre sus decisiones porque quieren perderla. Es un acto de confianza. Un acto de entrega. Un acto de amor.

El amor nace o renace cuando el deseo se sacia. Balzac lo sabía bien y por eso escribió lo siguiente en *Papá Goriot*: "Al poseer a aquella mujer, comprendió Eugenio que hasta entonces no había hecho, sino desearla. No la amó hasta el día siguiente de la dicha: quizá no sea el amor más que el agradecimiento del placer."

A esta reflexión puedo añadir lo que dijo Joubert: "La ternura es el reposo de la pasión". El amor, como el vino, se logra con el tiempo. Y así como toma cuerpo y se decanta, se oxida y avinagra. ¿De qué depende? Ese es uno de los grandes misterios que no queremos ni podemos resolver.

No pretendas que te quieran como tú quieres; es más no pretendas que te quieran solo porque tú quieres.

¿Esperando sentada?
Invítalo a salir

No hay peor gestión que la que no se hace. Llámalo. Agarra el teléfono sin asco e invítalo; no sé, a ver una buena película, a buscar libros viejos, a tomar un helado.

En la barra de un restaurante lo único que conseguirás es gastarte todo tu sueldo en un par de copas, y parecer lo que no necesariamente eres: una mujer a la pesca. ¿Has visto cómo lucen las mujeres cuando se juntan todas en una barra? Si últimamente todas tus noches son *Ladie's Night*, hay algo que no anda bien.

Elígelo. Aprieta el gatillo. Dispara (y si no das en el blanco, no te preocupes).

Claro, me dirás no, qué va a pensar el hombre si lo llamas, que estás loca, que eres una cualquiera, que eres muy agresiva. Los demás miran a una como una se mira a sí misma. Si dentro de ti sientes que pueden estar mirándote como a una cualquiera, es probable que seas una cualquiera. La mayoría de complejos y mitos femeninos que cargamos como cruces son producto más del miedo que le tenemos a las demás mujeres (y a nosotras mismas) que a los hombres. En otras palabras, te dará miedo llamarlo porque no querrás que se entere otra mujer de que lo estás haciendo.

Ahora, primero asegúrate de dos cosas:

1. Que ese hombre por el cual suspiras (y que no tiene idea que lo haces) está solo. Es decir, que nadie haya robado ya su corazón. Y si ya lo hicieron, a otra cosa, mariposa.

2. Que haya mostrado ya algún interés en ti (miradas, indirectas, etc.).

¿Miedo a que te diga que no? Pues si ese es tu miedo, entonces enfréntalo. ¿Acaso no es el mismo miedo por el que pasa un hombre al llamar a una mujer? ¿Entonces? Si te dice que no, ya ganaste tiempo: no le interesas y puedes seguir adelante. Y si te dice que no puede ese día pero que otro día sí, ya sabe él que estás allí y podrá llamarte para invitarte a salir. Y no tendrás que andar con tu cartel de "llámame que quiero salir contigo". Incluso a muchos hombres les anima la mujer que se atreve a llamarlos. Les parece excitante, inteligente, audaz. Deja ver seguridad, independencia, e inspira respeto. Créeme que el tiempo del *carnet* de baile ha pasado ya. Hoy también nosotras podemos elegir cuándo, cómo y por qué.

Una vez que salgas con él, no te apresures. No te encames a la primera, ni a la segunda, ni a la tercera cita. Sería muy poco elegante que lo hagas. No tienes que hacerte de rogar, no, pero tampoco abras las piernas así, tan de pronto. Ya que tú lo llamaste, dale la oportunidad de que él haga su parte. Hazlo sentir como a ellos les gusta sentirse: hazlo sentir que él es el cazador.

Cosas que no debes hacer cuando recién te emparejas

Yo sé; yo sé que estás ilusionada; que estás embelesada; que revolotean mariposas en tu estómago; que levitas como Remedios La Bella; que, cuando viene por ti, tiemblas de emoción como toda una quinceañera. No quiero quitarte la ilusión, no; quizás solo adelantarte que tal vez el hombre por el cual suspiras termine siendo (aunque no lo creas) *uno más*. Es posible que, de aquí a unos cuantos meses, te preguntes: ¿cómo pude estar con este gnomo? (Esa va para tí, Ismael).

Anda, sí, pero con cuidado, poco a poco, pues muchas de nosotras *amamos demasiado*, y si fracasamos en el intento, *sufrimos demasiado*. No todos los hombres son gnomos, y no siempre la espontaneidad es la mejor receta. Aquí algunas sugerencias. Tómalas, déjalas, desdéñalas, aprópiate de ellas:

No te instales

Es decir, eso de que mi casa es tu casa es una manera de hacerte sentir cómoda, bien recibida, pero no te lo tomes tan en serio. Está bien que quieras tener un desodorante, un desmaquillador de ojos, un cepillo de dientes, champú y acondicionador de pelo, un peine, quizás una pijama y una bata, pero al comienzo es suficiente con tu presencia en su cama en las mañanas (o nada más en las noches).

No le sueltes la cuerda. Domestícalo

Cuando un cachorro hace sus necesidades en un lugar específico, es probable que las siga haciendo en el mismo lugar, eternamente. La costumbre lo hará ir encariñándose con ese espacio que, con su huella fragante, instintivamente delimita, hasta que nos sea imposible cambiarle la ruta y rutina, las reglas. Educarlo. Domeñarlo. Igual que el perro, el hombre es un animal de costumbres, que se comporta conforme las indicaciones de su amo(a), que espera recibir órdenes, porque necesita obedecerlas. Pues sin órdenes, ni el perro ni el hombre realmente funcionan dentro de casa (menos aún en la calle). Ellos, ambos, agradecen al amo(a) con la lengua afuera, los ojos transidos de amor y la cola en emotivo movimiento. Aunque el animal en cuestión sea un mastín, la voz fuerte y decidida de su amo(a) lo hará ser un fiel soldado de peluche. Mantenlo a raya, y lograrás que no cague donde no debe. Corrígelo apenas llega a tu vida. Reconoce todo aquello que él hace que huele mal, que ensucia la relación, y evítalas desde el principio. Luego será muy tarde. Te habrá echado a perder todo aquello que has atesorado: tus alfombras, tu alma sensible. Tu integridad física y emocional. Tu tiempo. Tu cara.

NO CAMINES DESNUDA

Una cosa es atraer. Otra aturdir. Por más bella que seas, por más que todo en tu cuerpo esté en su sitio, caminar desnuda es poco seductor. Sugiere. No muestres todo al mismo tiempo que lograrás lo contrario: que se acostumbre tanto a verte sin ropas en el cuerpo que no sea ninguna novedad. No vaya a ser que prefiera leer el periódico que avalanzarse sobre ti. Cuidado, los titulares de los periódicos siempre jalan el ojo.

NO HUELAS A SANTIDAD

El virtuosismo no siempre es atractivo para los hombres. No necesitas ser Teresa de Calcuta para inspirar respeto. Tan solo sé consecuente y considerada. Un ejemplo: él quiere hacerte un regalazo. Y tú le dices "No tienes por qué hacerlo". Él insiste en hacerte ese regalo. Tú insistes en decirle que es muy caro, que mejor no, que no hace falta que te haga esos regalos (a pesar de que te mueres de las ganas). Entonces él decide no hacerlo y ahí comienza el problema: lo estarás mal acostumbrando. Y de paso, estarás malográndonos el mercado a las otras, que sí queremos que nos llenen de regalos.

No le cuentes tus secretos

No vayas a emocionarte y empezar a contarle esos secretitos (o secretotes) que guardas. No es un amigo, y, aunque fuera un amigo, los secretos están para ser guardados.

Cuidado con almibararte

En buen cristiano, no lo ames. Tranquila y de a pocos, pues tendemos a abrumar al otro con nuestro desmedido entusiasmo. Ten cuidado de lograr el efecto contrario.

El espacio es el lugar favorito de los hombres

Sí, son espaciales, chunchos, herméticos. No son lo gregarios que somos nosotras, las mujeres. Si tienen un problema, preferirán meterse en su cueva y estar en silencio antes de salir corriendo a contárselo a alguien más. Concédele, por ello, esa gracia.

Esa pijama

Está bien que entres en confianza y lo hagas partícipe de tu cotidianidad pero no es para tanto. Esa pijamita de franela con esas pantuflas viejas de felpa déjalas para cuando ya no haya nada que ocultar. Por ahora anímate y sal a conseguirte unas cuantas prendas de lencería. Es momento de seducir. No de bostezar.

No le pidas dinero

Pedirle dinero a un hombre que no es tu marido es casi tan antiestético como decorar un comedor con la *Última Cena* de Leonardo. Así que, empeña alguna cosa, roba un banco, haz pajaritos de origami para la venta, pero nunca le pidas a él dinero, menos aún cuando recién se están enamorando y conociendo. Ya tendrás tiempo de derretir su tarjeta de crédito cuando seas su mujer.

No lo andes llamando por estupideces

Ni lo llenes de cartitas de amor ni mensajes ultrarrománticos. Eso empalaga. Acuérdate de que él tendrá que sentir que te seduce siempre, y que nunca termina de seducirte.

Date tu lugar de princesa en la torre. Espera que te rescate

En otras palabras, sé un poco más pasiva que activa para con él. Les encanta pensar que son los cazadores. Los príncipes que salvan a sus princesas.

No le digas "siempre" ni "nunca"

Se aterran con los "siempres" y te condenas con los "nuncas". Deja fluir el agua a ver si llega a la mar.

No hagas planes para el año siguiente

Seguramente sientes que no podrías ya vivir sin él. Pero si haces memoria, seguramente has sentido que no podrías vivir sin el penúltimo ni el antepenúltimo.

Olvídate de las adivinas

Si sientes que estás feliz, que todo va bien, no se te ocurra meterte donde una vidente. Te expones a que te digan cosas como "Veo otra mujer en su vida", "Hay una rubia que lo atormenta", "Ha tenido un romance que aún no está olvidado". Ya sabes cómo son las adivinas, y ya sabes cómo somos las mujeres; te empezarás a imaginar cosas y terminarás teniendo la "certeza" de que la rubia esa lo atormenta. Y quizás la rubia esa ni exista realmente. O quizás la rubia seas tú y no te hayas dado cuenta.

No le digas a todo el mundo que estás de novia

Es como estar embarazada recién y callarse la boca por si sufres una pérdida antes de los tres meses, cosa que es natural y muy común.

No le prohibas cosas

No eres su madre aunque mueras de ganas de serlo. No lo restringas porque querrá hacer justamente lo contrario. Recuerda ese pensamiento cursi pero sensato: "Déjalo ir. Si es tuyo, volverá". Y si no lo es, llora pues.

No le cosas los botones de las camisas

A nosotras las mujeres se nos da por sentirnos las empleadas de nuestros novios y empezamos por coserle los botones de sus camisas. No lo hagas, por lo menos no al comienzo. Ya tendrás tiempo cuando sea tu marido y no te quede otra.

No le ordenes su clóset ni sus discos ni sus libros ni su refrigeradora, menos aún su vida.

Cuidado con lo que le regalas

Esas fotos tuyas de niña que no tienen negativos ni copias mejor te las guardas. Si quieres hacerle el regalo, sácale a esa foto una copia a color o escanéala.

No te hagas amiga de su madre

Puede pasar que tú seas tan maravillosa que su madre quiera adoptarte como futura hija política y empieza a encariñarse contigo (y por ahí que tú con ella). El hijo nunca mide el daño que le hace a su madre cuando hace a un lado a una buena mujer, pues la madre imaginará, a veces no solo imaginará, sino preverá el peligro: una mujer que no sea tan inteligente, tan simpática y que lo quiera tanto como tú.

No te ganes a sus hijos

Te encariñarás. Se encariñarán. Y luego extrañarás sus caritas dulces, sus pequeñas manitas, su complicidad. Y el sentimiento de familia que toda mujer, en el fondo de su alma, siente cuando está rodeada de niños. A no ser que seas de esas brujas herodianas que lo único que sabe hacer es acabar con ellos a pellizcones. Si no es por ti, hazlo por ellos. No tan rápido. Primero enamora al padre. Luego a los hijos.

No te hagas enemiga de su ex mujer

Eso ni ahora ni nunca. Simplemente cierra la boca cuando él te hable pestes de la otra. Una dama como tú nunca hablará mal de otra mujer, menos aún de la madre de sus hijos. Deja eso para comentarlo con tus amigas.

Cierra la puerta del baño cuando lo ocupes

Nada más antiestético que una mujer sentada en un *water*. Es una imagen que se quedará impresa en su memoria por los siglos de los siglos, y puede ser que lo desanime un poquito.

Y por favor, nunca pero nunca le cuentes que tienes una foto de Clive Owen en tu billetera

Tampoco la de James Blunt como protector de pantalla de tu computadora. Eso es de adolescentes y tú ya estás bastante mayorcita.

Lo que nunca debes hacer

Es solo una cosa la que no debes hacer: llenarlo de palabras. El silencio es más seductor, menos riesgoso y mucho más sabio. Válete de los actos y deja las palabras para tus amigas (y tus enemigas si las tienes).

LO QUE SIEMPRE DEBES HACER

En algún lado leí que una persona sin sentido del humor es como un auto sin amortiguadores: a la primera piedrita en el camino, el auto se rompe. Pasa lo mismo en las relaciones: lo que más desgasta la relación casi siempre tiene su raíz en una estupidez, una tontería que se nos sale de las manos y crece, crece hasta generar una crisis. Incluso hay momentos en que la pareja ni siquiera se acuerda por qué discutieron. Pero ya el desgaste está allí como una termita en la madera, mermando la salud de la relación. Entrena tu sentido del humor como si fuera un músculo y úsalo siempre.

Que quieres que haga, ¡¿qué?!

Si supiera Leonardo da Vinci que recurro a él para hablar de *felattio*, seguro se levanta de su magnífica tumba, me besa la mano, y se vuelve a morir el viejo. Él decía lo siguiente:

> *El gran amor nace del gran conocimiento del objeto amado, y si este conocimiento del objeto es insuficiente, entonces no se podrá amarlo, sino muy poco o nada.*

El hecho concreto es que no tenemos pene (y, contradiciendo lo que Freud sostenía, no envidiamos a quienes lo tienen). El cuerpo masculino es tan distinto del femenino como el agua del fuego. Por tanto, tenemos que buscarnos la forma de saber qué diablos hacer con esa cosa larga (a veces no tanto) y gruesa (a veces no tanto) de la que cuelgan dos bolas peludas que parecen helados de lúcuma a mitad de derretirse. Satisfacer a nuestro compañero de cama tiene que ver no solo con lo que intuímos, sino con lo que aprendemos, a través de la experiencia, sí, y si no tenemos la posibilidad de acumular experiencias, usando el gran método de la conversación con ellos, cosa difícil pues ellos no son del todo comunicativos y nosotras sentimos demasiado pudor. Lo último, pero siempre primero: los libros y manuales, fuente de sabiduría. Y de poder. Pues el conocimiento da poder.

Tener interés en cómo es su cuerpo, qué siente y dónde es que lo siente, es un paso hacia el mejor amor, en todo el sentido de la palabra. Al complacer a nuestra pareja y satisfacerla, nos sentimos más complacidas nosotras.

Con todos esos pensamientos revoloteando en mi mente (y cuerpo), hace un tiempo me puse a buscar libros que hablaran de un tema que, para mí, era casi como averiguar de la vida en Saturno: *felattio* (si no sabes qué es, entra a Google). Entré a Internet a ver qué ofrecía Amazon. Encontré una serie de carátulas de lo más atractivas. Uno de esos libros era un *best seller*. ¿El título? *Tickle his Pickle*, es decir, *Cosquillea su pepinillo*. Una mujer sonriente de labios rojos tiene un pepinillo en la mano, los dientes bien blancos, la sonrisa fresca; parecen dos cosas antes que un manual de *felattio*: una propaganda de crema dental o un libro de comida vegetariana. Otro libro tiene en la portada un jalapeño bien rojo y muy largo. Lleva por título: *Pas-*

sionata, guía de la mujer empoderada para satisfacer al hombre. Subliminal libro que a primera vista parece más uno de gastronomía mexicana. Otra portada deliciosa que aparece en la Internet cuando busco un manual de *felattio* me encanta. Solo dice, en letras muy grandes que ocupan casi toda la carátula: *Que quieres que yo haga ¿qué?* Me puedo imaginar a una mujer, emergiendo de entre las sábanas, con los pelos revueltos, desnuda, y con el ceño fruncido, pues de pronto él le pide alguna cosa "estrambótica". Esa es la típica pregunta que una mujer, que no se ha cultivado en los menesteres de la cama, le hace a su pareja o al hombre de turno cuando este le pide algún favorcito. Un helado rojo, un plátano, una lengua húmeda, las carátulas sugerentes de los manuales para el buen *felattio* son infinitas y casi todas sugieren cosas comestibles ricas, sabrosas. Solo con entrar a Amazon, tenía una idea muy amplia de la cantidad de libros que se publican sobre este tema.

Pues bien, para saber amar hay que saber besar. Y eso se aprende. No nos es fácil besar un pene, porque no tenemos uno. Por eso mismo existen manuales con dibujitos, *tips*, secretos, sugerencias, planos, mapas y coordenadas que nos pueden ayudar en el arduo camino de la cultura sexual. Lo mismo para los hombres, quienes deberían de instruirse en las artes del amor al cuerpo femenino, pues está claro que la mayoría de ellos son tan torpes que terminan haciéndonos dos cosas que odiamos: daño y cosquillas. Por eso ellos deben aprender de *cunnilingus* (*cuni* de coño, *lingus*, de lengua), entre otras materias, pues el cuerpo femenino es complejo, y las zonas erógenas están en los rincones más inesperados, como ocurre con mucho de lo bueno que nos ofrece la vida.

Ahora que todo el mundo *googlea*, ahora que las cabinas de Internet proliferan como moscas, que tenemos el celular adosado al cuerpo como un órgano más (de esos que llaman bolsita y sirve para descargar nuestras necesidades) que es más fácil a veces comunicarse que respirar, la comunicación en temas sexuales entre el hombre y la mujer es una tarea pendiente. Pocas se atreven a decirle a su hombre qué es lo que les gusta y qué no. Pocas se atreven a expresar sus gustos y preferencias y a lanzarse a hacer cosas que no necesariamente son muy heterodoxas. Simplemente, tenemos miedo de parecer *demasiado expertas* o demasiado seguras en materia de sexo. Preferimos que él lleve las riendas, con temor a abrumarlo, a darle razones para sentirse receloso, o *menos hombre*. Y lo que es más peligroso: parecer malulas, tremendas, zorras, bataclanas, mujeres de cascos sueltos, recorridas, perras, pacharacas, meretrices, bandidas, sueltas de huesos, veletas, mujeres fáciles, cualquieras, en fin, la lista es larga.

Está claro que un hombre con experiencia en la cama es la gran cosa, y una mujer con experiencia en la cama ya no es la gran perra. Ahora es la gran hembra.

Comuniquemos. Sin miedo. Sin tapujos ni reservas. Digamos lo que queremos cuando lo queremos y cómo lo queremos de ellos y preguntemos qué podemos hacer por ellos. Leamos. Aprendamos. Aprendiendo entendemos y gozamos más. El cuerpo es una máquina; necesita aceitarse, carburarse, podemos subir o bajar sus revoluciones, avanza y retrocede, frena y choca, tiene potencia y chasis, caballos de fuerza y cambios, revoluciones. Carbura. Y bota aceite. Por eso mismo, hay que saber acelerarlo y desacelerarlo. Conducirlo, pues.

La primera es la pagana

Cuando un hombre recién se separa de su mujer, se separa también de sus hijos, de su casa, de su servicio doméstico, si es que lo tiene. Se separa de los ambientes de su entorno cotidiano, social, de los muebles de su sala, de las salsas caseras con las que acompañaba su carne, del aroma a lavanda de sus sábanas, de sus cuadros, su mascota, que le movía la cola cuando llegaba a casa después del trabajo, de su esposa, que ya no le movía la cola cuando llegaba a casa después del trabajo, de su *omelette*, que lo esperaba todas las noches para satisfacerlo y arrullarlo.

Que hay la muerte de algo enorme y complejo, la hay, por eso mismo deberá haber luto. Por más que ese hombre no quiera más a su mujer, está sufriendo la muerte de todo lo otro. La pérdida de todo lo otro.

Es probable que entre en una de dos fases Una profunda depresión, que lo hará querer ir a ver un psicólogo para aliviar su estado de ánimo y terminar de comprender lo sucedido (eso es lo que pocos hombres harán). Lo otro que puede y suele ocurrir es que entre en una suerte de euforia. Euforia que lo hará querer salir a apabullarse, a llenarse de gente, de eventos, de ruido. Si se topa contigo y le gustas, te usará para tapar su angustia, su vacío, su tristeza, para negar el luto. Creerá que te ama. Lo creerá en lo más profundo de su ser. Y te dirá varias cosas como las que cito a continuación:

- Eres la mujer de mi vida
- Me siento tan aliviado de haber salido de esa casa
- Ya hice mi luto antes de salir
- ¿Psicólogo? Qué tontería. Me siento muy bien así
- Tan pronto me salga el divorcio, tú y yo nos casamos
- Nunca te dejaré, tendrás que dejarme tú a mí
- No te preocupes que lo he superado todo
- Te he esperado toda mi vida
- No, no he estado llorando, es una alergia

Me pasó a mí. Fui la primera, fui el puente. La del rebote, como dicen por aquí. Lo conocí cuando estaba deshecho y él ni siquiera lo sabía. Los hombres saben tan poco de los sentimientos que ni los suyos los reconocen. Hay que estar diciéndoles qué es lo que sienten constantemente como si se tratara de un paciente al cual el doctor le va diciendo qué es lo que va a sentir mientras se le hace un tratamiento.

Estuardo andaba de fiesta en fiesta, con su *whisky* en una mano y el cigarro en la otra. Era el proveedor de cocteles de toda una serie de mujeres que llegaban a los bares. Formaba grupos y salía, salía hacia la noche, como un loco suelto. Era verano y el hombre brillaba, brillaba pues había estado casado quince años y ahora estaba solo, soltero nuevamente. Hasta que llegué yo, tan solo tres meses después de la ruptura de su matrimonio, y se aferró a mí como quien se aferra a una tabla en medio de una tormenta en el mar. Me llenó de palabras amorosas, de cartas, me llamaba todas las mañanas a las ocho en punto, para despertarme, y si yo no contestaba a esa hora, me dejaba unos mensajes románticos y ansiosos que hablaban de su amor desesperado, de su pasión infinita, de su vehemencia. Al menos eso creía yo. Porque ahora, después de haberlo perdido (bueno, nunca lo tuve), me doy con que es un hombre más bien pasivo, quizás reactivo, pero nunca proactivo.

Desde los primeros días me prometió amor para siempre. Me dijo que nos casaríamos en tres años, que nunca me dejaría y todo eso que he citado arriba como si se tratara de una lista de compras de supermercado. Y yo le creí, le creí todo y me transporté adonde él me llevó: al terreno del sueño. Del delirio. A la negación de la pena a través de la euforia. A la verborragia, el ruido, la música a todo volumen, el amor desesperado, para evitar el silencio, para tapar el vacío, para evadir el pensamiento y con el pensamiento, la pena.

Un año estuvo susurrándome cosas bellas, hablándome de amor eterno, pidiéndome que nunca lo deje. Y de pronto, empezó a dejar de planificar el futuro conmigo, a decirme cosas como "Si alguna vez nos casamos", a contarme que sentía necesidad de hacerse un departamento a su gusto antes de construir una casa para una nueva familia. Y al cabo de dos meses, vino a decirme que quería estar solo, que necesitaba estar solo, y que no sabía si me quería, porque las ganas de estar solo eran demasiado intensas.

Debí advertir que la primera casi siempre es la que sale crucificada. Que servimos para ayudar a pasar un puente, un momento difícil. Y que, una vez que el hombre recupera su aire, nos deja sin más, sin remordimientos, sin pena alguna. Pues no nos quiso. Nos usó, sin darse cuenta. Recomiendo que lo pienses detenidamente antes de meterte con uno que recién deja su casa. Suelen ser peligrosos. Pon tu corazón a buen recaudo. Yo no hice caso y pagué con creces mi poca prudencia.

Cómo romper
con quien rompió contigo

Hay muchas maneras de relacionarse con el hombre del cual estás enamorada (o encaprichada, dos cosas distintas que causan el mismo efecto estupidizante). Pero solo existe una manera de cortar con él, sobre todo si es él quien corta contigo: CORTÁNDOLA.

Créeme, tengo experiencia, pues nadie más torpe para cortarla que yo misma. Por eso mismo me he expuesto a situaciones tan vergonzosas como decirle: "No sabes cómo te extraño" y tener que escuchar su romántica respuesta: "Ya lo superarás". Han pasado cinco años desde esa brevísima conversación y aún duele, duele como un entuerto.

Aceptar que ya no nos quiere, que puede prescindir de tus encantos, incluso cuando no te reemplaza con ninguna otra, es terrible. Asumir que podría verte con alguien más sin volverse loco, peor. Siempre nos queda el consuelo de que se ha ido, pero volverá. Que es una etapa, que necesita su espacio. Nos ponemos escuálidas, nos levantamos cada mañana cargando con la cruz de la tristeza, vamos a ver al travesti que nos lee el tarot; él nos dice que nos enamoraremos nuevamente el próximo año y que el problema será que tendremos que escoger con cuál de los cinco (sin contar con él) que nos pedirán matrimonio; reímos y lloramos con el travesti, nos alcanza un *kleenex* con sus garras fucsias y nos cobra un dineral. Escudriñamos el comportamiento de nuestro ex galán con nuestras amigas y sacamos no una, sino diez conclusiones distintas. Un día lo odiamos, al día siguiente lo extrañamos, luego lo queremos con toda el alma, luego nos sentimos impotentes de haberlo perdido así, sin más, como se pierde la vida (y el dinero). Y así el ciclo se repite una y otra vez: odio, nostalgia, amor, frustración, odio, nostalgia, amor, frustración.

Aceptar que un hombre nos deja es duro. Sobre todo si no hemos hecho nada para merecerlo. Ya que está comprobado que usamos cotidianamente veinte mil palabras, las usaremos todas para hablar sobre lo que nos pasa con nuestras amigas, con nuestra madre, con las compañeras de trabajo, con el carpintero, el guardian del edificio, las plantas y nuestra mascota, a quien pediremos consejo acerca de qué hacer para olvidarnos de él. De muchas maneras seguiremos intentando relacionarnos con ese hombre: hablando de él o contactándolo a través de *e-mails*, de llamadas, de *chats* en el *messenger* que él contestará, porque es un hombre educado (o que evadirá poniendo el muñequito en "ocupado" si no lo es).

Hay ciertas cosas que yo he hecho y que recomiendo a quienes tienen que romper (porque no les queda otra: las han mandado de paseo y la dignidad obliga a zafarse). Acciones tan banales como extirparlo de nuestra lista de contactos en *messenger*, pues no hay nada peor que verlo iniciar sesión y querer decirle algo como *Hola, ¿cómo estás?, te extraño, ¿por qué te fuiste?*. Llega un momento en que nuestras palabras sonarán a ranchera a lo Chavela Vargas:

EXTÍRPALO

Saca sus fotos de tu mesa de noche, saca las cartitas (seguramente no te mandaba muchas), saca sus fotos de tu computadora, bótalas a la papelera de reciclaje (y vacía la papelera de reciclaje), saca de tu vista todo aquello que pueda hacer acordarte de él (pero no se te ocurra devolverle ese collar). Si regresa, empezarás de cero. Si no, te será más fácil empezar de cero con otro (o contigo misma). No estoy diciendo que niegues el recuerdo. Simplemente no te tortures. ¿Y sabes qué? Goza la tristeza. Llora mucho. Y luego, córtala como quien corta una cabeza con la guillotina. Como quien extirpa un lunar maligno.

NO TE MIENTAS

Nosotras siempre estamos alimentando nuestra fantasía y Hollywood ayuda, por qué negarlo. El rompimiento, como en las películas, es un *clip* musical: la pareja protagonista, cámara lenta, ella llora, se encierra en su departamentito con pijama de franela, *kleenex* y su gatito que la mira idiotizado, no contesta el teléfono a las amigas que la llaman y le dejan mensajes en la grabadora, ni a la madre, ni al hombre que la ha dejado. Él, por su parte, solo puede pensar en lo estúpido que fue y la llama, la llama desesperadamente, la busca, pero ella no quiere saber nada.

A todos lados donde él va, ve parejas en romance. Las mujeres lo rodean y él solo piensa en la chica que acaba de dejar. Recuerda (nuevamente cámara lenta) momentos entrañables, risas, besos, cama. Y regresan para siempre. No solo es Hollywood. Son los cuentos que desde niñas hemos escuchado y leído: el final siempre es feliz. Y la princesa siempre se queda con su príncipe. Lo malo de la realidad es que hay muchas princesas, y no muchos príncipes, pero sí sapos, sapos que nunca dejan de serlo.

No te enteres

Pídele a tus amistades y a las suyas que no te cuenten absolutamente nada de él. No pases frente a su casa. Y si pasas, mira hacia el otro lado para que ni sepas si tiene la luz prendida de su sala, si hay carros en la puerta, pues una mujer despechada tiene la imaginación fértil y la histeria a flor de piel.

Un día a la vez

Cuesta. No es estrategia para recuperarlo. No. Es comprarse una misma su salud mental, su control. Es más, marca en tu calendario los días que pasan sin que des una señal de vida. Como hacen los alcohólicos: anda un día a la vez.

Otro clavo

Solo el tiempo (y otro clavo) terminan de llevarlo a las tierras del olvido. Sácatelo de la piel y del pensamiento encontrando una nueva ilusión (una nueva víctima).

No te expongas

Nunca le digas que estarás o que estás con otro. Es capaz de decirte "Buena suerte" o "Que te vaya bien". Sería patético que lo deseara desde el fondo de su corazón. Tampoco le pidas para verse. Es capaz de no responder a tu invitación y te sentirás doblemente dejada.

Nunca hables mal de él

Nunca, pero nunca se te ocurra hablar mal de él, a nadie. Por dos razones: la primera, podrías regresar con él y ya lo habrías desnudado frente a los demás. Imagínate contándole a tu madre que le gustaba la yerba (y no precisamente la hierba luisa) y luego regresas a sus brazos. La segunda razón es más importante aún: hablar mal de cualquier persona rebota. Todo lo que se hace y dice en esta vida, regresa.

SÉ SIEMPRE UNA DAMA

Te morirás de ganas de decirle cosas horribles, subidas de tono, de desearle la muerte, de ir tú misma a matarlo, pero calma, calma y serenidad. Una debe ser una dama hasta en el peor de los momentos. Y justamente en esos momentos es cuando más entereza y dignidad deberás mostrar. No vaya a ser que esas escenas horribles lo terminen de desencantar si es que estaba pensando regresar.

AFUERA LA RABIA

Es importante que la rabia salga, pero que esta esté bien argumentada, que sea vertida inteligentemente. Hace bien que salga, porque parte del duelo tiene que ver con llorarlo todo. Cada fase hay que asumirla, pero lo que no debe ocurrir es que te encariñes con tu tristeza hasta hacer de ella tu estandarte.

DATE CUENTA

Solo cuando el hombre que una "adora" se marcha y pasa un buen tiempo, una puede darse cuenta de que a quien extrañaba no era a él sino a ella misma amándolo. Ni siquiera amándolo a él en particular. Amando. Simplemente entregando lo mejor de ti.

¿No será simplemente que extrañabas tener una pareja y no necesariamente lo extrañaste a él?

Cortar de raíz

Así como hay actitudes, pequeños (o grandes) vicios, hábitos y reacciones que nosotros tenemos y que hacen daño a quienes nos rodean, así también hay cosas que los otros tienen y que esconden cuando recién se están dando a conocer y pretenden enamorarnos. No, no estoy hablando de las bolsas debajo de los ojos cuando recién despertamos. Hablo más de nuestros demonios, fobias, malos humores, puntos débiles y vicios. Solo con el tiempo y la convivencia logramos reconocer la fealdad en el otro. En las pequeñas señales que el día nos da. Hay que estar pendientes de esas señales. Alertas. Son llamadas de atención que no siempre hacemos caso, a las que hacemos la vista gorda, en algunos casos, porque preferimos estar acompañadas a estar solas. Esa ha sido mi discusión con Margarita, compañera y amiga.

Alguna vez nos fuimos juntas a Paracas, a descansar. Ella tenía un galán que la llamaba al celular todo el tiempo. La *marcaba*, como yo mismo le decía. Era posesivo el muchacho, pero ella andaba en las nubes. Todo iba bien con él hasta que advertimos una luz roja: nos fuímos a recorrer todo un día la Reserva de Paracas y dejamos los celulares en la casa donde estábamos hospedadas. Él la llamó. La llamó una, dos, tres, cuatro veces. La llamó a mi teléfono, la llamó al teléfono de nuestro anfitrión. En fin. Cuando regresamos de nuestro paseo, Margarita coge su teléfono y escucha sus mensajes: el hombre se había transformado; había dejado varios mensajes; mientras avanzaban los mensajes, el tono de voz era más oscuro. Agresivo. De la primera sonrisa pasó al gesto adusto. Me hizo escuchar. Le pedí a mi amiga que se aleje de ese hombre. Le advertí que esa violencia verbal podía convertirse luego en violencia psicológica y, quién sabe, física. Ella no le dio importancia al hecho. Lo llamó y hablaron durante horas, cariñosísimos, como si nada hubiera pasado.

Pasaron los meses y un buen día recibo la llamada de Margarita: necesitaba hablar conmigo. Nos reunimos. Entre otras cosas me contó que el hombre le pedía que ella gritase cuando hacían el amor a pesar de que a ella no le gustaba gritar. No solo le pedía que gritase. La amenazaba con que, si ella no gritaba, él se detendría y no le seguiría haciendo el amor. Ella gritaba. La muy tonta gritaba. Era una muñeca inflable (y parlante) debajo del cuerpo opresor del hombre. Sacarse de encima a ese hombre le costó, pues se sentía entrampada. Había pasado mucho tiempo sin hacerle caso a las alertas que a todas luces tintineaban frente a sus ojos.

Ya que podemos jactarnos de ser intuitivas, debemos empezar por reconocer las luces rojas cuando brillan iridiscentes en nuestras narices y no hacer como que no vemos, no oímos, no sentimos.

Hace un tiempo, justo luego de Ismael, me sucedió algo mágico, bello, inesperado como son las mejores cosas de la vida: conocí a un hombre que todo lo tenía para mí, desde sus ojos, azules y nostálgicos, hasta sus maneras, celosas y un poco locas. Sus cartas, poéticas y elocuentes, hablaban de un ser excepcional, de esos que no existen, pues los hombres, no los poetas claro, no suelen ser así de elocuentes, así de románticos, así de viscerales con las palabras. Todo en él parecía ser mágico. Enamorable. Pero tenía un gran inconveniente, más grande que sus profundas virtudes: estaba recién separado y no tenía claro si volvería a su casa o no. Aún así, me gustaba recibir sus cartas, escuchar sus palabras sentidas. Nos carteamos unos días, hasta que tuve que tomar una decisión: cortar de raíz aquello que me estaba generando tanta ilusión. Debía protegerme de la fantasía. Debía protegerlo de mi fantasía. Tenía que evitar romper corazones y familias. Me daba cuenta de que había estado necesitando todas esas palabras de amor después de un rechazo que casi enferma mi corazón. Sus palabras fueron agua fresca. Pero ya era suficiente. Estaba empezando a montarme en una ola que podía ser devastadora. Y estaba tropezando dos veces con la misma piedra.

Mandé una carta, enorme e intensa, cortando cualquier posibilidad. Aquí un párrafo:

No tienes idea cómo atesoro la sola imagen de tenerte de pareja, de tomar tu mano e ir por ahí contigo, compartiendo desde lo más grande hasta lo más ínfimo. Una vida, un golpe de suerte, una tos, una alegría, un helado de chocolate, un libro, un poema. Cada beso que imagino tuyo, el sentimiento crece, la pasión aumenta, el deseo se vuelve intolerable, y el veredicto final se hace urgente.

Y se hizo urgente el veredicto. Porque todo se juzga. Todo acto trae su consecuencia. Su cárcel, su libertad. Su justicia. Tuve que cortar de raíz como quien extirpa un cáncer, antes que haga metástasis. Fue horrible, lo juro. Pero ahora respiro tranquila: por lo menos ese tumor ya no existe.

Mi príncipe verde

JOSEFINA: *Mañana temprano, apenas me levante, iré y lo abrazaré fuerte y largo.*

JUANA: *A quién, ¿al poeta ese que te escribe?*

JOSEFINA: *No, Juanita, a mi árbol (risas y claro, vodka).*

Dicen que uno de los factores que más generan estrés en una persona es una mudanza. La mía vino acompañada de una serie de eventos estresantes por sí solos: la impresión y presentación de dos libros importantes de los cuales yo fui la autora, y el rompimiento con el hombre (llámese abandono) con el que creí todo iba mejor que bien. Todo el mismo mes. Mes de imprentas, pruebas de color, preparativos para las presentaciones, notas de prensa, entrevistas, carpinteros, albañiles, electricistas, combas, niños a los cuales contener, oganizar, ubicar en el nuevo espacio, más notas de prensa, llantos, pena, vacío, sorpresa ante el desamor, cajas de las que salía el pasado, cigarrillos a medio fumar, cajas y cosas, objetos que reencontraba luego de años de divorcio, fotos de amores pasados, fotos de amigas desaparecidas, regalos de boda que nunca utilicé. Objetos, cosas con demasiada carga emotiva. Y en las noches, cansancio, desamparo. Una soledad demasiada honda. Recuerdo haber llegado a la presentación de uno de mis libros, el más importante para mí, delgada como un palito de fósforos, agotada y embargada por las emociones. Estaban allí muchas de las personas a las que quiero. Pero al finalizar el evento, cuando los invitados se retiraron, tuve que regresar sola; atravesar la fría noche hacia un limbo. Llegué a un espacio que no era aún el mío, donde todo flotaba, donde mi alma y mi cuerpo deambulaban. Me sentí pequeñísima esa noche. Sola.

Esa noche encontré a mi príncipe verde. Le puse rostro al amor; se encarnó en la figura imponente de un árbol: un príncipe encantado, bien plantado, estable, siempre guardándome como el ángel al que invoco cuando temo. Esa noche, recién mudada, encontré uno frente a la ventana de mi cuarto; aquí está hasta el día de hoy, contemplándome, sin juzgarme cuando me malporto, susurrándome al oído cuando cae la tarde y las ganas se cansan. Me ama cada noche y no huye cuando recién despierto. Sus hojas arrullan mis silencios. Por eso procuro siempre silencios. Su sombra me brinda refugio cuando percibo intemperie (muy a menudo). Su tronco es fuerte, vigoroso. A él me abrazo cada vez que me siento sola y desprotegida.

Ese árbol me hizo querer acompañarme de mí misma. Rediseñar mis soledades. Reinventar mis alegrías, las pequeñas y las hondas. Plasmar las ansias de drama en algo positivo. Construir a partir de la tragedia que una misma protagoniza. Simbolizar para ser. Fantasear para existir; existir en la realidad. Ese árbol me ayuda a inventar mi propia compañía. Ese árbol me lleva a buscar la alegría dentro de mí misma. Nunca más me he sentido sola. Y si no es este árbol al que acudo, es la mar, a algún bello recuerdo, a una voz amiga.

son los árboles casas
hogares tibios corazones
espíritus donde depositar el amor
y las vicisitudes de una pena que aún late

son presencias sabias
ancianos con descendencias infinitas
tienen años en silencio
años en sus troncos vigorosos
en sus ramas sinuosas reposa la vida
de ellos nacen todos esos cuentos que nadie me contaba
pero escuchaba de todos modos

cuando la brisa enmantela la noche
los árboles murmuran palabras de consuelo
las hojas mecen arrullan los anhelos calman los miedos
y la luz de los faroles se encarna en ellos

los árboles nacen de la tierra
se hunden en las entrañas de todo lo que respira
y desde ahí brotan para hacerme compañía como padres
como dioses
como amantes incondicionales

La soledad sabe a whopper

La whopper es la hamburguesa-emblema de una conocida cadena de cómida rápida; fiel reflejo de la despersonalización de la sociedad occidental contemporánea: una comida en serie para una vida en serie, una vianda que no sabe a nada y todos quieren, pues sabe a todo. Lleva carne que no es carne, viene con papas que tienen poco o nada de papa, que se consigue rápidamente (y sin pagar mucho) como a una prostituta: llamando a un número de teléfono o simplemente desde la ventanilla del carro a una cosa parlante de colorinches que nos toma la orden y nos desea *un buen día*, que nos brinda nuestro "alimento" en una bolsa de papel reciclado y reciclable, que se come sobre la fórmica del establecimiento o mirando estupefactos el televisor cualquier cosa que nos adentre en el sopor estupidizante de la compañía virtual. La whopper viene en combo con una buena dosis de ausencias fritas. Ella encarna el antigoce de una buena copa de vino, de una pasta al dente, de un beso con sabor a orégano, a mango helado. No creo que haya alguien que se deleite con una whopper frente a una chimenea encendida. No creo que se pueda hablar de amor eterno con una whopper en la mano (o en los labios). Quizás el *ketchup*, la mostaza y la inclasificable Pepsi Diet son lo que nos animan las noches de este nuevo mundo de *chats*, de *Skype*, de *Youtube*, de *Facebook*, de *sms*, *mms*; de amor virtual que se torna real y linda con el desamor y la decadencia en la que andamos muchos de nosotros sumergidos.

Aprender a gozar de mi soledad fue dejar de marcar el número del Burger Queen un sábado a las diez de la noche y poner el muñequito "En línea" en el *Messenger*. Fue dejar de recibir al amable *delivery* como quien recibe una importante carta de amor y abrirla ansiosamente para ver su contenido. Es cierto que la whopper acompañó mis noches de sábado y mis almuerzos domingueros por algún tiempo y llenaba, llenaba mi corazón, mis manos, mi mente. Mi soledad era sentida como un tránsito hacia un nuevo amor. Y mi estado de ánimo era el de la mudanza. Sigo estando sola, pero la whopper ha cedido el paso a la pasta con su ajito, a una buena ensalada aliñada de ilusiones, a la buena sobremesa en mi propia compañía. Los sábados a las nueve y cuarto, pongo a Maria Callas a todo volumen, caliento el agua en la olla, sancocho la pasta y, esplendorosa, me siento dueña del sabor del ajo en el aceite de oliva, de la copa de vino que se va reduciendo en mi boca. Me siento dueña de mi soledad. Dueña de mí misma.

Empecé a buscarme. Encontré con que era yo mi alma gemela. Pues yo misma soy la persona con quien me acuesto todas las noches. A quien toco más que a nadie. A quien más miro a los ojos. Mi patrona y mi mejor compañera. A quien le cuento todo y quien me dice qué es lo que más me conviene. Es con quien quiero estar para el resto de mi vida. Esa persona ha pasado a ser mi mejor conquista. Con quien quiero estar, hasta que la muerte nos separe.

Y claro, de vez en cuando acudo a la whopper como a un antiguo amor. Es que, donde hubo Whopeer, papitas quedan. Y jugamos. Somos novios.

Somos novios,
pues los dos sentimos mutuo amor profundo.
Y con eso ya ganamos lo más grande de este mundo.
Nos amamos, nos besamos
como novios nos deseamos
y hasta a veces
sin motivo, y sin razón, nos enojamos.

En fin, en fin. Armando Manzanero no comía whoppers.

Rapunzel y una torre llamada soledad

Rapunzel espera. Su pelo largo es la prolongación de su nostalgia. Metáfora de su impasible gesto. Su indigencia es una infranqueable torre. Su príncipe, la libertad. Un cuento que nos contaron cuando niñas, con una moraleja nada alentadora: aguarda quieta que él llega para librarte de tu soledad, para rescatarte, rescatarte de ti misma. Duerme, duerme como la bella durmiente, y tendrás el beso. Espera, espera como Rapunzel, y tendrás para ti el acto heroico.

Siempre hay alguien que nos dice *ya llegará, ya aparecerá alguien*. Lo oímos. Lo pensamos. Lo decimos. Nos lo decimos a nosotras mismas. Lo creemos. La soledad se nos aparece como esa torre que debemos abandonar de cualquier manera. Esperamos que un príncipe nos rescate de lo rancio, del olvido, del tiempo. La torre nos pasma. Y el príncipe nos aventura al mundo.

Los cuentos de hadas nos han hecho demasiado daño.

Es natural sentirnos afligidas por la soledad, sobre todo cuando el tiempo empieza a darnos la hora cada segundo, ajando nuestro útero, entristeciendo nuestras pieles, desbaratando nuestras carnes. Somos manzanas, somos flores. Queremos ser contempladas, saboreadas, tenidas antes de marchitar. Queremos seducir a nuestras parejas, queremos que nos vean desnudas (y no se asusten). Queremos ser madres. La soledad, como el ocio, nos puede llevar a cometer errores garrafales. Por eso, aprender a conocer nuestra soledad y darle forma, esculpirla, convivir con ella, es indispensable para no caer en el vicio de la soledad estéril, aquella que paraliza y nos vuelve improductivas.

Nadie dice que debemos abanderar la soledad ni hacer apología de ella. Hemos nacido, insisto, para estar en compañía. Somos gregarios, no lobos esteparios. Pero si nos toca estar solas, tenemos que asumirlo. Pues es solo una la vida que tenemos, mucho el tiempo que perdemos, enorme la energía que malgastamos y demasiadas las neuronas que no usamos. Y cuando una se pone vieja, mira hacia atrás y se lamenta de no haber aprovechado el tesoro de la soledad en su propio beneficio.

Si no tienes atributos, invéntalos.

El nuevo *look* de Rapunzel

Rapunzel se siente incómoda. Cuando da un paso, se pisa el pelambre, se tropieza, se cae de bruces. Tiene que tomar una decisión: o camina o camina, es decir, se da un buen tijeretazo y termina ya con la agonía de la espera: hay mucho que hacer y la kilométrica cabellera simplemente es un lastre. Rapunzel ha dejado la torre. Ha salido a la caza de posibilidades. Ha conseguido trabajo, tiene crédito hipotecario, es madre soltera, se hace la *manicure* dos veces por semana, va al gimnasio y carga con sus propias cruces, lee a Osho, recauda fondos para una ONG de apoyo para la vacunación de los niños de comunidades amazónicas con amenaza de Hepatitis B, en fin, Rapunzel ya no está sola: está con su soledad. Ha dejado de buscar respuestas fuera de ella misma, ha desechado la fantasía de ser rescatada. Ya no está desesperada. Está lista para ser amiga de su sombra. Puede sentirse sola, claro que sí. A menudo se siente así. Puede soñar con su príncipe, pero el sueño arrulla la vida y arranca sonrisas en ella. La única forma de dejar de temer a la soledad es viéndola.

Cada vez somos menos rapunzeles. Cada vez existen menos las torres y más los puentes. No es extraño, por eso, que existan miles de libros que ayuden a la mujer no solo a tolerar su soledad; sino también a recibirla con entusiasmo. Un libro en particular me llamó la atención: *Yo sola*, de Florence Falk. En la carátula aparecen un par de pies repletos de espuma de baño; es una mujer en la tina, relajándose después de una árdua jornada cazando mamuts. Empecé a imaginar cómo estaría ilustrada la carátula si el libro hubiera estado escrito para el sexo masculino y se titulara *Yo solo*. Estaba claro: aparecerían no un par de pies en una tina de burbujas sino una mano agarrando un control remoto. O, quién sabe, una llave de tuercas, un palo de golf, o el prominente trasero de una mujer. Un bello pensamiento encontré en el libro de Falk que quiero compartir con ustedes:

Puesto que el camino de las mujeres solas comienza en sus temores, termina afortunadamente en la renovación. Haciéndonos amigas de la soledad, conocemos su enorme potencial, donde nos podemos recuperar, reclamar, y aprender a expresarnos (...) no debemos huir sino sentarnos junto con los sentimientos de la vergüenza, la culpa, y muchas otras cosas más que nos afligen. Porque es obvio que en la medida en que confrontemos nuestros temores actuando a pesar de ellos y a través de ellos, tentativamente al principio y luego ganando confianza, comenzaremos a recobrar la integridad que tanto anhelamos.

La soledad puede y debe cultivarse incluso estando en pareja. Es decir, la mujer no debe ser absorbida por el hombre (generalmente somos las mujeres más machistas que los hombres) y sí mantener un espacio para el cultivo de las propias virtudes. Está bien que queramos seguir sintiéndonos mujeres-objeto, pero ya no lo somos. Somos mujeres-sujeto; personas autónomas, autosuficientes, valientes e independientes. ¿Que queremos seguir sintiéndonos poseídas? ¿Hembras de la manada? ¿Objetos del deseo? Claro que sí. Pero esos objetos del deseo han aprendido a tener las cuentas claras.

Mujeres con las cuentas claras

Y hablando de cuentas claras, el dinero es una puerta hacia la libertad. Y más que el dinero, el trabajo (remunerado). Tener dinero no debe ser nunca un fin. Pero sí un medio. Un medio para negociar. Para esperar y hacer esperar. Para vivir a nuestro aire. No se trata de ir tras millones, pero un poquito nada más de dinero nos permite sostenernos y tener fuerza a la hora de tomar decisiones. La soledad, con un poquito de tranquilidad económica, es sabrosa. Las viejas le dicen *pan pa' mayo*. Las mujeres de hoy ya ni esperan a mayo. Se ganan la vida desde muy jóvenes. La vida laboral, intelectual y profesional las ha insertado en el mundo que antes era exclusivo de los hombres. No quieren anudarse una corbata alrededor del cuello, no. No quieren competir con ellos. Tampoco. Es más, quieren seguir seduciéndolos.

La independencia cuesta. Las mujeres de hoy lo hacemos todo y por eso a menudo colapsamos. Podemos sentirnos estafadas; nos han vendido la idea (nos hemos vendido la idea) de que podemos hacerlo todo bien: ser madres, ser esposas, ser bellas, ser profesionales, ser autónomas. Aquí un texto que escribí para mi *blog* (La Oveja Rosa). Más que un posteo, una letanía: simplemente, no daba más:

Hoy no tengo nada que postear. Hoy la Oveja Rosa es una brisa que pasa, quizás una ráfaga, o un huaracán (para ser más rigurosa con la realidad). Hoy me acabo de despertar y son las once de la noche. Recién tomo mi café con leche y splenda y estoy levantada desde las seis y media de la mañana. Mami, ¿estás despierta? *Me pregunta mi hijo. Yo tenía el cachete izquierdo estampado en una de las flores de la almohada floreada, el ronquido seis cilindros y los ojos bien apretados. El niño me miraba como si mirase una momia en un sarcófago. Sí, amorcito, estoy despierta (carajo, me dije, porque al niño no se le dicen malas palabras). Desde que abrí los ojos no sé más, solo que no tuve el tiempo de comer algo, de exprimir un par de naranjas, de calentar la leche. Solo salí, como salen los pillos cuando roban carteras de los restaurantes: corriendo. Y sin pasarme el peine por las greñas. Los colegios lo soluciona la movilidad, Dios bendito, pero a mi colegio debo llegar por mis propios medios y miedos. Y llegué, llegué a la oficina a eso de las siete porque la Oveja Rosa tiene mil cosas que resolver, mil pro-*

yectos que emprender, y necesita una capa, un antifaz, un zapatófono, un avión invisible, una tinka, un poco de spa, *qué se yo, pero solo tiene una camionetita y un par de zapatos de tacón aguja encima de los que se sube cada vez que se le baja el ánimo. Desayuné allí un poco de* rimmel, *algo de perfume, crema de manos, colonia de hotel, café instantáneo, y empecé el día sin darme cuenta ni siquiera de que el día anterior había terminado. Suena el celular. Mi* ringtone *es una canción de los Stones que comienza con un solo de guitarra eléctrica. Rock del mejor en mi cartera.* Mami, se me fue el bus. Ay, hijito, ¿de nuevo? *A recogerlo más allá de La Molina, a cruzar ese infierno en la tierra que es la avenida Javier Prado. Cuarenta grados centígrados, piensa en playa, Josefina, piensa en mar, piensa fresco, piensa, piensa, no, mejor no pienses, maneja, maneja, y otra vez los Stones y ese solo de guitarra eléctrica, es mi madre, ¿dónde* estás hija? Te estoy esperando para almorzar hace media hora. Uy mami, comienza tú nomás, yo llego en un par de horas. *Los Stones sonaron y sonaron y odié a Javier Prado, odié a Mick Jagger, hombres, hombres que me hacen la vida difícil. Toda la tarde se fue como se va el agua entre los dedos. Ay, uy, las cinco, ya no llego. Ya no llego. Otro día más que lo dejo plantado. Tengo una cita con el dentista que vengo necesitando hace ocho meses. Necesito ir a verlo, necesito una profilaxia, necesito ir al dermatólogo, al ginecólogo, al psicólogo, al gimnasio, a nadar, al nutricionista, a la peluquería, a subirle la basta a pantalones que hace dos años compré, a mandar a hacer una pantalla para una lámpara que yace descabezada en la entrada de casa, tengo que contestar cuarenta* e-mails, *pero pasa con todo como pasa con mis despertares: demoro en darme por enterada que el tiempo es lineal y que, cuando por fin llegue al dentista, es probable que el pobre infeliz no tenga dientes que limpiar, que una vez que vaya al dermatólogo, sí, a ese de moda, no tenga cara para verlo, no por la vergüenza sino porque habré dejado toda mi piel en el camino. Que cuando llegue al ginecólogo, me pida que vaya al geriatra y me deje de vainas, que cuando llegue al psicólogo me ofrezca un té de tilo y me invite a jugar buraco con su mujer, que cuando llegue al gimnasio, me toque hacer ejercicios con una enfermera en una piscina especial, que cuando quiera ir a nadar, lo único que pueda hacer en esa piscina sea mear, que cuando por fin decida ir a la peluquería no sea Marco Antonio sino Merino o, por qué no, el de la Funeraria San Isidro, quien alise mis greñas horribles y me ponga bella para las visitas.*

Entonces sí que tendré tiempo para todo, para pensar en nada, para mirar el techo, que es lo que he deseado desde que me autoproclamé mujer independiente y útil a la sociedad; allí sí que podré estar cómoda, al abrigo de las estridencias de los Stones, libre de Javieres Prados, sin tacón aguja, sin ropas apretadas, sin dietas estrictas para estar flaca, flaquísima, sin dientes ni pastas de dientes ni cepillos de dientes ni escobillas de pelo, sin doctores que plantar, sin tiempo, sin tiempo, sin ese tiempo que ahora me estruja, me ahorca, durmiendo sin tener que despertar. Descansando en paz.

Y a veces, pues a veces debo confesar, provoca ser una muñequita de *biscuit*, una de esas mujercitas que en un trinar de dedos todo lo consigue, que es tratada como reina y por eso, no pisa siquiera el suelo: otros caminan por ella. Pero luego vienen las inquietudes, las ganas de triunfar, de desordenarlo todo y volverlo a desordenar, de arriesgar, de hipotecar, de invertir en la vivienda, el cuerpo, el corazón, el espíritu, y en un par nuevo de zapatos de tacón aguja.

A Helena la independencia le costó bastante, ella es una de esas sobrevivientes. Una mujer con huevos (si hiciéramos una encuesta, habría más cojones femeninos que masculinos). Helena es una persona que toma decisiones y no se anda con lágrimas, pues no puede pensárselo mucho: tiene que costear la comida, la educación y la salud de sus dos maravillosos hijos. Hace unos años, estaba en tal necesidad económica, sin trabajo y sin marido que la ayudase (sus dos hijos son de diferentes hombres que además han sido sus maridos y hoy no le pasan ni un centavo), que decidió ponerse bien, pero bien creativa: salió a vender tomates, lechugas, papas, cebollas. Andaba en un camioncito que contrataba todas las mañanas, después de elegir, a las cuatro de la mañana, las verduras, hortalizas y productos más frescos del mercado. Decía que andaba en este camioncito, metida en sus *jeans* y en sus zapatillas viejas, repartiendo verduras a domicilio. Tonta no era: cuando le faltó el pan para ese día (a ella y a sus hijos), decidió ir a los supermercados Wong, donde compran sus amistades y conocidos, y ver los precios de las verduras allí. Luego fue al mercado mayorista y analizó los márgenes de costos. Se clavó al lado del teléfono dos días e hizo llamadas a todo aquel que aparecía en su agenda, en su cabeza, en su corazón: "No tengo trabajo, tengo que dar de comer a mis hijos este mes, y puedo vender verduras un poquito más barato que el supermercado. Dime qué verduras necesitas y yo te las llevo a tu casa".

Nadie fue capaz de decirle que no, y más que por la necesidad que Helena expresaba en su voz, por la delicadeza con que esta mujer suele decir las cosas aunque duelan (a ella y/o al resto, cosa que considero sumamente femenina). El hecho es que Helena se convirtió en una verdulera. Pasó de ser productora de moda y esposa a *delivery* que saltaba de su cama aún de noche para salir corriendo al mercado a llenar la tolva de verdes para rondar luego la ciudad. Ganó. Ganó dinero, ganó bastante dinero como para dar de comer y pagar los estudios ese mes y unos meses más a sus hijos. Pero sobre todo, ganó la libertad. Se la compró en cada alarma del despertador, en cada fría madrugada. Ahora sonríe. Suspira. No le va bien pero no le va mal. Y puede, sabe, ama vender verduras.

Yo la miro para arriba. Es una montaña. Telúrica. Tutelar. Helena es de esas mujeres que, siendo débiles, son fuertes. Que se quiebran, sí, pero insisten. Helena es una de esas positivas por voluntad. Y por necesidad (está claro). El arte de vender verduras es el arte de vivir. O de sobrevivir, que no es lo mismo, pero a veces da igual. La cosa es pagar la comida, el colegio, la luz, el agua, el teléfono quizás. Cuando alguien se me intenta desmoronar, yo le digo que salga a vender verduras, en un sentido figurado claro, porque cada quien encontrará su propia manera de ingeniárselas (ya sabemos que de la necesidad nace el ingenio), pero que los huevos hay que ponérselos cuando las papas queman, hay que hacerlo, y que una es una y no dos ni media, es cierto, por eso mismo actuamos y actuemos como una y no como media, hagamos, produzcamos bienestar porque no nos queda otra. Ya vendrán (siempre llegan) los tiempos de un mar tibio y calmo y la arena blanca o piedras; de vinitos, qué más da. Ya seremos medias naranjas (o medias sandías). Pero, ahora que hace falta, seamos verduras en un veloz camión rumbo a Plutón.

Mea culpa

Hay mujeres que son víctimas. Otras que sienten serlo. Existen las que, para conseguir algo del otro, se hacen pasar por víctimas. Una víctima es una mujer venida a santidad que se flagela, otra que se programa para destruir todo lo bueno que le llega, una quinceañera que siente que nadie la comprende, una bruja que se echa a llorar porque sabe que la lágrima bien llorada trae beneficios. Es terrible pero es: hubo un tiempo en el cual la fortaleza de la mujer radicaba justamente en su debilidad. Pero el mundo ha cambiado (a pesar que muchas de nosotras nos neguemos a aceptarlo). Quedan, de pronto, los rezagos de otros tiempos. Pero por ahora, la fortaleza de la mujer está en su voluntad. En sus cojones.

Nietzsche tiene un pensamiento bien interesante respecto al instinto de autodefensa y el debilitamiento hasta la victimización en la que podemos caer si es que no actuamos a tiempo. Él sugiere, en la medida de lo posible, separarse, alejarse de aquello a lo cual habría que estar diciendo no una y otra vez. Pues en los gastos de autodefensa, incluso en los más pequeños gastos, si se convierten en hábito, se nos va la fuerza: "Simplemente por la necesidad constante de defenderse puede uno llegar a volverse tan débil que no pueda ya defenderse". Cambiar nuestros hábitos insanos por hábitos sanos es un buen comienzo. Romper con aquello que no nos hace bien. Otro buen paso es no estar ofreciendo disculpas cuando no nos sentimos culpables; ese es un acto que nos lleva camino a la desvictimización. Es necesario analizar cuáles son los comportamientos de los demás que nos hacen sufrir y sentirnos maltratadas, pues puede ser, y esto es clave, que nosotras mismas estemos provocando esos maltratos de los que somos víctimas. Tengo gente por todas partes que se lamenta de su miseria. Y no solo se lamenta; se regodea en su sufrimiento. Ponernos de víctimas lo hace todo más fácil: ya no tenemos que demostrar qué tanto aprovechamos la vida, qué tanto podemos triunfar sobre las visicitudes, qué tanto podemos alcanzar nuestra realización personal. El débil, el enclenque, se encariña con su condición de víctima; le pone rostro (ajeno) a su desidia; a su ociosidad, a su falta de voluntad, de autoestima, de ganas.

Por lo tanto, el victimario que más nos maltrata, aquel del cual somos las víctimas más frecuentes, es uno mismo. Al no querer quitarnos de encima ciertas prácticas, ciertos comportamientos que nos conducen hacia la debilidad, asumimos el rol de víctimas. Es fácil boicotearse. Facilísimo. Dicen los psicoanalistas que tiene que ver con alguna carencia afectiva o maltrato que sufrimos de niños. Y yo me pregunto: ¿quién no tuvo una carencia afectiva, una tristeza, un sufrimiento cuando niño? Utilizando ese argumento siempre podríamos echarle la culpa a todos los demás de lo que nos trae sufrimiento y dolor. O mejor dicho, de todo lo que dejamos que nos pase. En *Hombre y superhombre*, George Bernard Shaw nos remite a *algo poderoso*, una sensación que solo logramos cuando nos arriesgamos a ser fuertes, pues claro que ser fuertes pasa por abandonar el estado de indigencia. El miedo a la fuerza pasa por el miedo a la libertad:

Esta es la verdadera alegría de la vida, el ser utilizado para un designio que uno mismo reconoce como algo poderoso. El ser una fuerza de la Naturaleza en vez de un calenturiento y egoísta terroncito rebosante de achaques y agravios, que no cesa de lamentarse de que el mundo no se consagrará a la tarea de hacerlo a uno feliz.

Agarrando calle

Hay edades que son hitos. En la línea del tiempo, estoy en el medio, familiarizándome con la ciudad en donde vivo. Es que tener cuarenta es como vivir en la avenida más céntrica. La zona comercial, el lumpen, los suburbios, el más elegante de los barrios, el barrio bohemio, la zona rosa, todo, todo se me ofrece, todo me tienta. A cualquier lugar puedo llegar. No estoy del todo joven y aún no podría decir que estoy vieja. Puedo desplazarme por la ciudad que es esta edad, de un lado para el otro, sabiendo dónde voy, cómo llego (y cómo huyo si debo). Puedo procurarme la libertad o la esclavitud, puedo ser una *geisha* de nueve a cinco y una bruja de noche. Puedo procurarme uno muy joven, uno viejo, un *hippie* de esos, un coleccionista de corbatas, un príncipe de rizos dorados, un banquero calvo y bien plantado. Un aventurero. Un gordo apachurrable que cocine para mí.

No tengas miedo de andar por la ciudad. Simplemente aprende a hacer malabares para quitarte cuando la cosa se ponga demasiado peligrosa. Habrá que agarrar calle para no terminar bajo el puente, sin hogar, sin corazón, sin patrimonio. Sin cara. Por eso me digo, ahora que me miro detenidamente al espejo: si vas a tener líneas de expresión en la cara (no las llamaré aún arrugas), más te vale que hayan servido de algo.

Aquí algunas sugerencias (a lo manual), con el firme deseo de que esas arrugas hayan servido de algo:

- Acéptate tal y como eres
- Piensa qué te gusta de ti. Por ende, qué te disgusta de ti
- Gánale la batalla al día
- No te rodees de gente negativa
- Sonríe un poco más (sonreír no duele)
- No seas tan fuerte
- Déjate ayudar, déjate querer, déjate engreír
- No digas *nunca*. No digas *siempre*
- Corta de hachazo con lo que no te hace bien
- Habla
- Sé positiva por voluntad
- No eches la culpa a nadie más de tus desgracias
- Permítete la tristeza
- Acompáñate
- No pretendas ser comprendida
- Imagínate en los zapatos del otro

- No esperes nada de nadie, solo de ti misma
- No tomes decisiones radicales de noche
- Rompe con el pasado que no se puede cambiar
- Sácale provecho a la mala experiencia
- Arréglate
- Ilusiónate
- Échate una cana al aire (o tres)
- Pregúntate qué significa realmente rehacer tu vida

Mil y una razones para ser mujer

Me gusta ser mujer porque puedo ser madre. Madre de mis hijos. Madre de mi padre. Madre de mi perro. Madre de mi esposo. Madre de los hijos naturales de mi esposo. Madre de toda la humanidad. La Virgen de la Leche. Y la rebosante vaca lechera de una reconocida marca de quesos.

Me gusta ser mujer porque puedo ser hija. Hija de mi padre. Hija de mis hijos. Hija de mi marido. Delicada flor de cristal que se debe atesorar. Y claro, mantener. Me gusta ser mujer porque me cogen, me recogen, me llevan, me regresan. Me abren las puertas, pagan mis cuentas, me ponen del otro lado de la pista cuando camino por la vereda, me ofrendan rosas, bombones, piedras preciosas. No tengo que hablar si no quiero (o si no sé cómo hacerlo). Solo debo ser un adorno que sonríe. Y aprender a hacer felatios.

Me gusta ser mujer, porque puedo maquillarme en las mañanas para verme menos fea. Puedo maquillarme en las noches para verme más bonita. Puedo aumentarme carnes, quitar las que sobran.

Me gusta serlo porque si meto la pata, tan solo lloro. Y si la sigo metiendo entonces se me baja la presión y me desmayo. Desmayarse es sumamente femenino. Desvanecerse y borrarse por un rato todo, todo lo soluciona.

Me gusta ser mujer, porque no soportaría que se me emocione el socio (miembro asociado) en medio de la orilla. Menos aún que no se me emocione cuando le pido que lo haga.

Me gusta ser mujer pues de los ventiocho días que dura mi ciclo menstrual, tengo veinticinco días de licencia para ser una niña malcriada, ensayar histerias, componer melodramas, tragedias y diatribas horribles. Puedo pelear con el mundo y el mundo siempre perdona. Puedo parir y deprimirme. Puedo parir y punto.

Me gusta ser mujer porque no me quedo calva, porque puedo llevar carteras, porque puedo fingir el dolor y el placer, porque puedo decir verdades mintiendo, porque puedo ponerme zapatos de tacón doce si soy enana, porque con solo pestañar todo lo logro.

No podría haber nacido hombre. Sería terriblemente infeliz; quizás no gay pero sí una de esas locas que andan siempre acontecidas. Andaría suspirando por una carterita de Chanel, los zapatos rosa con morado de Jimmy Choo y una noche de copas con Batman (y Robin).

Me gusta serlo, porque tengo desde ya la batalla ganada a los hombres: he dejado por fin de competir contra ellos.

Un último beso (de moza)

Los derechos humanos de la mujer y de la niña son parte
inalienable, integrante e indivisible de los derechos humanos
universales. La plena participación, en condiciones de igualdad,
de la mujer en la vida política, civil, económica, social y cultural
en los planos nacional, regional e internacional y la erradicación
de todas las formas de discriminación basadas en el sexo son ob-
jetivos prioritarios de la comunidad internacional.

(Declaración y Programa de Acción de Viena,
parte I, párrafo 18)

Alguna vez escuché que un hombre preguntaba por
qué si había el Día de la Mujer no existía el Día del
Hombre.

El día llegará en que no tengamos día. Que no haya que celebrar absolutamente nada. Cuando dejemos
de pelear por los derechos (y reveses) de nuestro gé-

nero, habremos ganado. O mejor aún: empatado. No somos mejores que los hombres; ni más fuertes, ni más sensibles, ni más virtuosas o menos viciosas y sanguinarias. Somos distintas a ellos. Bueno, también somos como las vacas: damos leche, comemos cosas verdes todo el tiempo y rumiamos tres cuartas partes del día, si no es todo. Si los hombres nos tildan de brujas, es porque ellos nos han obligado a serlo. Donde hay un príncipe y un batracio, siempre hay una bruja. Es verdad que nos hacen panzas y nos hacemos panzas, las cargamos y traemos al mundo a nuevos humanos. Es verdad que nos hacemos bolas, cirugías, limpiezas de cutis. Es verdad que nos tomamos a pecho todo lo que nos pasa y también lo que no nos pasa. Si los hombres tuvieran el pecho como el nuestro, se lo tomarían todo. Pero ellos prefieren la botella. Muchas veces nos dejan por una botella u otra como nosotras, y debemos sacar más pecho, sacarnos adelante y, con nosotras, a quienes traemos a este mundo. Entonces, la vida se convierte en una carrera de obstáculos. En un juego de ajedrez. Y por qué negarlo, en una Tinka. Nos volvemos atletas, malabaristas, zorras, jugadoras, estrategas. Y esperamos tener esa cosa intrigante y gaseosa que no sé definir: suerte. ¿Nuestros máximos enemigos?: nosotras mismas. Nosotras que queremos perpetuar el mito de la debilidad, nosotras que premenstruamos los veintiocho días del ciclo, nosotras, que no queremos cambiar llantas ni fumar habanos. Nosotras que amamos demasiado y morimos por los *besos de moza*.

Anexo
La Oveja Rosa y El Dueño de Nada

LA FELICIDAD JA, JA, JA

Somos infelices porque creemos estar destinados a la felicidad. Nos olvidamos de que vivimos dentro de un cuerpo que día a día acelera su decadencia. Hemos borrado el hecho de que nacemos sin estar preparados para conducirnos de manera autónoma, como bien lo ha demostrado la ciencia de la ontogénesis. Hasta los gusanos nacen libres, nosotros tenemos que depender de una madre y sus odios negados; nuestra historia es en gran medida la historia de las trabas para lograr esa independencia, una tarea extenuante para los tres comprometidos: yo, mi madre, mi padre. Generalmente la fórmula da muy malos resultados. Encima, estamos obligados a soportar a los demás, y esa quizás sea nuestra peor condena. Entre Rousseau y Hobbes, es claro que el segundo manda y deja al primero como un tetudo

bienpensante. Los otros son la peor carga porque nos refle-
jan. Yo soy tu desastre y tú, el espejo del mío. No nos que-
da, sino lamer un ratito la miel del coito o la grandeza de
la posesión material, hasta que cae la bolsa o nos damos
cuenta de que hay otros que tienen más. Josefina, ¿eres tan
feliz como aparentas? Yo, por eso, no aparento nada. Me
gustaría pensar que puestos de lado mis dolores neuróticos,
tendría acceso a una felicidad común, rústica, elemental.
Mentira. El común sufre como un condenado y el rústico
quiere ser lo que tú y yo somos, Josefina. ¿Hay cura? Ya no
lo creo. Freud alguna vez le explicó a una paciente, qué
era lo máximo que el psicoanálisis podía hacer por ella:
"No hay duda de que al destino le resultará más fácil que
a mí aliviarle su dolencia. Pero usted podrá convencerse
de que hay mucho que ganar si logramos transformar su
histérico sufrimiento en una infelicidad común. Con una
vida mental que recupere la salud, usted dispondrá de me-
jores armas para combatir la infelicidad". Es cierto, el vie-
jo Sigmund escribió esto luego de que Hitler demostrara a
la humanidad cuán factible es el horror y cuán insignifi-
cante la capacidad de la gente para ser mejor que eso. Pero
cada día tiene su propio holocausto, a veces sin chimeneas
de campo de concentración, a veces con cosas peores. A ver,
Josefina, cómo la ves tú. Quizás como mujer, te sea más
sencillo maximizar las sensaciones de placer, que al final
de cuentas son lo único que nos deja el día cuando se acaba.
Aunque déjame decirte que escribir una cursilería como es-
ta, me ha hecho momentáneamente feliz, y más.

Rafo León, blog "Dueño de nada"

LA MÁS AMARGA DE LAS HORAS

La felicidad es una capacidad. Una actitud. No un cúmulo de instantes de euforia que se marcan en la memoria del corazón, como dicen algunos. No, mi querido Rafo. La felicidad tiene que ver con la voluntad del individuo de sobrevivir a los desastres que él mismo se causa. La voluntad de poder, escribiría Nietzsche. La felicidad es recoger los añicos y pegarlos, no para reconstruir, sino para construir formas nuevas, distintas de aquellas que se quiebran. Por ende, la creatividad es camino de felicidad. La creatividad alumbra. Renace. Reinventa al ser. Lo llena de goce. Crear cuesta, como cuesta llegar a ser feliz. Por eso, Rafo feliz aunque sumido en una infelicidad que linda con el cinismo, me hablas de ontogénesis, y yo te contesto recordándote que el sufrimiento es a la felicidad como el día a la noche, que sin uno el otro no es, que negarnos lo que nos ha tocado por naturaleza es un atrevimiento. Un desafío a Dios, que en mi caso es un manojo de estrellas que brillan lejanas. Pero brillan. Y siguen brillando, detrás de esa cosa turbia y molesta a la que hemos llamado realidad. No confundamos el sufrimiento vital con ese otro sufrimiento, que se presenta según las leyes del cristianismo como el camino al Cielo. No. El primero es proactivo. Productivo. El segundo pasma el espíritu. Y marchita el cuerpo demasiado pronto.

Observo, en estas décadas de postpensamiento, una recurrente postura nihilista, un ánimo pésimo, un humor ácido, biliar: estoy en este mundo y eso me cuesta, porque aunque soy único y distinto, soy hijo de mi madre e hijo de mi padre, y aunque soy único y distinto, a ellos debo culpar por haber nacido. Soy infeliz porque he nacido. Soy infeliz porque me han nacido. Freud nos hizo demasiado daño, pues puso rostro a la desidia del ocioso, a la debilidad del enclenque, al morbo del retorcido, a la envidia del miserable, al facilismo del cínico. Y ahora debemos culpar a los demás de no ser rústicos ni elementales, pero sí neuróticos. Neuróticos hasta la infelicidad compartida. Suena bien eso de neuróticos. Pero en la realidad se trata de un término profundamente peligroso. Uterino y lunar. Por ende, caprichoso. Inestable. Inmaduro hasta la indigencia.

Es Freud y son los cuentos esos donde las hadas protegían a las princesas y los príncipes siempre llegaban para quedarse. Hemos ido a dormir desde que tenemos uso de razón escuchando historias que siempre terminaban bien y siempre era para siempre. Incluso cuando el lobo se comía a la abuela, encontrábamos la forma de abrirle el estómago y traer nuevamente a la vida a esa pobre vieja. Y luego crecemos y están las telenovelas, valles de lágrimas en salones de cartón, pobres mujeres vírgenes a las que les hacen barrigas, que sufren, heredan y obtienen la felicidad como si se tratara de un sorteo de supermercado. Terminan siempre en el altar, vestidas de blanco, rodeadas de todo lo que se supone hace feliz a una mujer. Y a la teleaudiencia. Y todos los malos están presos o muertos o han quedado parapléjicos. Y claro, pobres. Y la infelicidad se ha quedado con ellos.

Ay, Rafo, qué puedo contestarte si dices que estamos obligados a soportar a los demás y que esa sea quizás nuestra peor condena. Puedo decirte a ciencia cierta que la peor condena es soportarse uno mismo. Creéme, Rafo: los demás siempre serán los demás.

Hay personas que han nacido para ser infelices a pesar de todo lo que la vida les ofrece. Y hay personas que han nacido para ser felices, a pesar que viven llorando y rumiando angustias. A pesar que a veces el mundo es demasiado grande y las pequeñas distancias, implacables. No por gusto Neruda escribió lo siguiente: "Algún día en cualquier parte, en cualquier lugar indefectiblemente te encontrarás a ti mismo, y esa, solo esa, puede ser la más feliz o la más amarga de tus horas".

En fin. Si tuviera que aparentar, ya que preguntas, aparentaría un poco de infelicidad, pues está claro que la felicidad ajena da náuseas, empalaga, perturba. Tú mismo me lo confirmas. Pero prefiero no aparentar aunque haga las veces de mujercita cursi, prefiero aceptar que puedo ser cursi, que amo, que lloro, que sufro, que me duele, que extraño, que lucho, que caigo, que me espanto, que no duermo y que la presión se me baja cada cuanto, y que por todo eso, seré, alguna vez, feliz.

Josefina Barrón, blog "La Oveja Rosa"